Ariel

À L'ÉCOLE DES ESPIONS

EVELYNE GAUTHIER

Ariel
À L'ÉCOLE DES ESPIONS

Tome 2 : Bazooka et caméras

Guy Saint-Jean
ÉDITEUR

Guy Saint-Jean Éditeur
3440, boul. Industriel
Laval (Québec) Canada H7L 4R9
450 663-1777
info@saint-jeanediteur.com
www.saint-jeanediteur.com

• • • • • • • • • • •

Catalogage avant publication de Bibliothèque et Archives nationales du Québec
et Bibliothèque et Archives Canada
Gauthier, Evelyne, 1977-
Ariel à l'école des espions
Sommaire : t. 2. Bazooka et caméras.
Pour les jeunes de 12 ans et plus.
ISBN 978-2-89455-735-8 (vol. 2)
I. Gauthier, Evelyne, 1977-   . Bazooka et caméras. II. Titre. III. Titre : Bazooka et caméras.
PS8563.A849A74 2013   jC843'.6   C2013-941489-4
PS9563.A849A74 2013

• • • • • • • • • • • •

Nous reconnaissons l'aide financière du gouvernement du Canada par l'entremise du Fonds du
livre du Canada (FLC) ainsi que celle de la SODEC pour nos activités d'édition. Nous remercions
le Conseil des Arts du Canada de l'aide accordée à notre programme de publication.

Canadä   ▐♦▌ Patrimoine Canadian   SODEC   Conseil des Arts Canada Council
              canadien   Heritage   Québec ▒▒   du Canada   for the Arts

Gouvernement du Québec — Programme de crédit d'impôt pour l'édition de livres
— Gestion SODEC

© Guy Saint-Jean Éditeur inc. 2014

Conception graphique de la couverture : Christiane Séguin
Infographie : Olivier Lasser
Édition : Sarah-Jeanne Desrochers
Révision : Marie Desjardins
Correction d'épreuves : Audrey Faille
Illustration de la page couverture : Mathieu Benoît

Dépôt légal — Bibliothèque et Archives nationales du Québec, Bibliothèque et Archives
Canada, 2014

ISBN : 978-2-89455-735-8
ISBN ePub : 978-2-89455-736-5
ISBN PDF : 978-2-89455-737-2

Distribution et diffusion
Amérique : Prologue
France : Dilisco S.A./Distribution du Nouveau Monde (pour la littérature)
Belgique : La Caravelle S.A.
Suisse : Transat S.A.

Imprimé et relié au Canada
1re impression, février 2014

Guy Saint-Jean Éditeur est membre de
l'Association nationale des éditeurs de livres (ANEL).

REMERCIEMENTS

Comme toujours, ce livre n'aurait pu aboutir sans le soutien de mes proches et mes amis.

Ni sans les conseils, suggestions et idées de mes super éditrices et de mon petit comité de bêta-lectrices!

Merci encore, je vous aime!

CHAPITRE 1
Une mission excitante !

Sous mes yeux ébahis, Maïka se lève du sofa où elle est assise depuis quelques minutes. Grande et mince, elle se déplace avec la grâce d'un chat. À chacun de ses mouvements, ses longs cheveux bruns et bouclés ondulent dans un mouvement qui rappelle celui de l'eau. Je l'envie, j'aimerais être aussi belle qu'elle. Je me demande si elle l'est autant au lever du lit. De ses grands yeux verts, Maïka parcourt le salon secondaire, où trônent des meubles anciens luxueux. De gigantesques bibliothèques remplies de livres à l'allure d'autrefois recouvrent les quatre murs de la pièce.

Après avoir vérifié qu'il n'y avait personne aux alentours, Maïka quitte la pièce sur la pointe des pieds. Je la regarde, toujours stupéfaite par son audace. Quelques instants plus tôt, Maïka a été amenée dans cette salle par deux gardes du corps au physique vraiment imposant et à l'allure effrayante, qui l'ont laissée là en lui intimant de ne pas bouger.

Sans doute ont-ils tenu pour acquis qu'elle serait si terrorisée qu'elle n'oserait pas cligner des yeux.

Mais Maïka est le genre de personne qui n'a pas froid aux yeux, je le sais. Je l'admire, cette fille. C'est presque mon idole. Enfin, après James Bond, bien entendu, qui demeure indétrônable à mes yeux.

Maïka se dirige vers le meuble de bois situé tout près du hall d'entrée. Je la suis du regard, pétrifiée. Le manoir est immense et, dehors, la pluie du soir crépite sur les carreaux des hautes fenêtres, qui laissent passer la lumière des éclairs qui frappent de temps à autre. L'ambiance est vraiment sinistre. Près du hall, un escalier de marbre grandiose mène au deuxième étage.

On jurerait le château d'un super vilain à la Docteur No[1].

Maïka ouvre alors un tiroir du meuble. À ma grande surprise, elle en sort un pistolet. Comment a-t-elle su qu'il était là ? Décidément, cette fille me surprendra toujours.

Un bruit se fait entendre à l'étage. Je sursaute en même temps que Maïka. Le maître des lieux est-il déjà arrivé ? Elle doit sûrement sentir qu'elle ne doit pas rester là. Elle range le pistolet dans la ceinture de

---

1   Personnage du méchant dans le film *James Bond 007 contre Dr No*, paru en 1962.

son pantalon et se dirige à toute vitesse vers la porte principale.

Avec toute la discrétion du monde, elle ouvre le battant et sort sous une pluie torrentielle. Rapidement, elle se dirige vers sa voiture, garée non loin de là. Elle fait démarrer le moteur. Une silhouette apparaît alors à la fenêtre du salon. Je la reconnais aussitôt.

Mais il s'agit d'Adrien, l'un des élèves qui va à la même école que Maïka! Que fait-il dans la maison de la famille Rex, les ennemis jurés de Maïka? Pourquoi est-il associé avec eux? Ce dernier aperçoit Maïka au même moment à travers la vitre. Elle prend alors peur et appuie sur l'accélérateur pour démarrer en trombe et s'éloigner au plus vite.

Je commence à transpirer et je sens mon pouls devenir de plus en plus rapide. Je suis soudainement essoufflée. Comment tout ça va-t-il finir?

Alors que la voiture s'apprête à sortir de la majestueuse entrée, Adrien apparaît dans la porte d'entrée du manoir luxueux et se dirige vers l'une des voitures du stationnement. Maïka l'a aperçu dans son rétroviseur et accélère. Elle dérape presque en prenant le virage, mais se rattrape juste à temps. Ouf! Elle a eu chaud et moi aussi.

Avec l'orage, la route est glissante et la visibilité franchement nulle. La route est située au milieu d'un bois touffu et il n'y a presque pas d'éclairage. J'aurais envie de lui dire d'être plus prudente, mais je sais que c'est inutile, elle ne m'entendra pas.

C'est alors que la lumière des deux phares fait son apparition. L'automobile d'Adrien est à quelques dizaines de mètres derrière ! Que va-t-il faire ? Poursuivre Maïka et l'éliminer, comme la famille Rex l'a fait avec la mère de cette dernière ?

Je tape des pieds, nerveuse, et enfonce mes ongles dans mes accoudoirs en tentant de respirer à fond pour me calmer. Quel sale pétrin !

Maïka accélère encore, mais Adrien arrive à toute vitesse avec son bolide, il n'a pas l'intention de se laisser distancer. Bientôt, il est si près que la lumière de ses phares envahit l'habitacle de la voiture et devient aveuglante. Maïka a du mal à voir, elle tente de prendre la courbe sinueuse, mais les trombes d'eau n'aident en rien.

Soudain, Maïka perd le contrôle du véhicule et celui-ci dérape. La voiture fait un trois cent soixante, glisse sur les grandes flaques recouvrant la route, projette des gerbes d'eau et se dirige tout droit vers le fossé !

Nooooonnn !

Tout à coup, tout devient noir.

Les lettres du générique de l'émission *Maïka : une vie secrète et compliquée* défilent sur l'écran de télévision devant mes yeux ébahis.

— Ah non! Mais je ne veux pas attendre l'épisode de la semaine prochaine pour savoir ce qui va arriver à Maïka. C'est trop loin...

— Eh... C'est pas juste, s'écrie Marilou, aussi frustrée que moi. Ils le font exprès!

Comme d'habitude, Marilou a vu juste. C'est évident que les producteurs de l'émission ont fait exprès d'arrêter l'épisode d'aujourd'hui en plein milieu d'une scène de suspense. Ils veulent nous garder accrochées jusqu'à dimanche prochain.

Une chance qu'on a amplement de quoi s'occuper entre-temps avec nos études, parce que sinon, je grimperais aux rideaux jusqu'à ce que je sache la suite. Ça fait près de deux ans que, comme plusieurs filles de mon école – la nouvelle et l'ancienne –, je suis religieusement le téléroman *Maïka: une vie secrète et compliquée,* qui raconte les péripéties de Maïka Lamontagne. À la suite de la mort tragique et suspecte de sa mère, elle doit contribuer à reprendre les rênes de l'entreprise familiale en foresterie, tout en poursuivant ses études secondaires et en composant avec le lourd et controversé héritage de sa richissime famille. C'est encore plus trépidant que ma vie à moi!

Les gars ne cessent de rire de nous, de se plaindre que c'est débile, et que, selon eux, il ne se passe pas grand-chose là-dedans. Ils n'y connaissent vraiment rien et n'arrêtent pas de nous déranger en faisant exprès de faire du bruit avec les jeux de Wii ou de Xbox de la salle commune. Mais évidemment, quand vient le temps d'observer Justine Larouche, la sublime comédienne qui joue Maïka, dans une tenue légère ou dans sa baignoire, ils cessent de se plaindre et sont soudainement très déconcentrés de leurs jeux.

Encore furieuse, Marilou lance du maïs soufflé sur le téléviseur de la salle commune des résidences.

— Mademoiselle Dubois! tonne une voix autoritaire, du fond de la pièce. On ne lance pas de nourriture ici. Allez ramasser vos saletés et nettoyez le téléviseur immédiatement.

Comme d'habitude, Vincent Larochelle, l'enseignant adjoint, colosse et chien de garde de l'école, est arrivé pile au mauvais moment et a pris Marilou en flagrant délit de projection alimentaire. Cette dernière sursaute d'abord en entendant sa voix, pour ensuite se renfrogner, furieuse.

Sous le regard bleu acier de Vincent – et celui compatissant des autres élèves qui se trouvent dans la salle commune –, Marilou se lève pour aller ramasser son dégât en grognant presque. Seule Béatrice Thompson, une élève snobinarde qui méprise la plupart des autres élèves et qui est pratiquement mon ennemie jurée, rit avec sa nouvelle clique en voyant Marilou humiliée de la sorte.

Je parie qu'elle aurait bien envie de mettre à profit une des nouvelles techniques de kung-fu apprises sur Vincent. Mais avec son mètre quatre-vingts, ses quatre-vingts kilos et son physique d'athlète entraîné, il la terrasserait en un rien de temps, probablement tout en attachant ses lacets. Bref, ce serait une bien mauvaise idée.

Ça sonne la fin de notre soirée, de toute manière. Le couvre-feu a retenti — ce qui est sûrement la raison de l'arrivée de Vincent dans la salle — et nous devons retourner à nos chambres. Il commence à se faire tard et, demain matin, nous avons une rencontre d'information avec madame Duval, une de nos enseignantes.

C'est le mois de mars, l'année scolaire avance à grands pas et nous devons déjà songer aux cours que nous prendrons l'année prochaine. Comme dans la plupart des écoles, il y a un tronc commun de cours, ainsi que certains cours optionnels, que nous devons choisir. Évidemment, dans une institution comme la nôtre, ces derniers ne sont pas exactement comme ailleurs.

Hier, alors que j'étais au cinéma avec ma meilleure amie, Laurence, j'ai reçu un texto à ce sujet de Dominic Marsolais, l'enseignant de traitement de données et espionnage électronique et informatique. Le message était de niveau code jaune, ce qui signifie une urgence d'importance moyenne. Je devais rencontrer monsieur Frost, notre directeur, dans son bureau demain matin, mais le rendez-vous a été reporté dans trois jours.

Qu'est-ce que ça pourrait bien être? J'ai vraiment hâte à jeudi matin pour le savoir. Le pire, c'est que je ne peux en glisser un mot à personne, c'est top secret. D'ailleurs, je me demande pourquoi monsieur Frost n'a pas demandé à me voir dès ce soir, puisque je suis là aujourd'hui. Pourquoi avoir reporté ce fameux rendez-vous, si c'était urgent? Même moyennement urgent?

Je m'approche de Guillaume, mon merveilleux et extra amoureux, pour lui souhaiter bonne nuit.

— Fais de beaux rêves, jolie sirène, répond-il en m'enlaçant.

Un clin d'œil de Guillaume à la petite sirène de Disney, vu que je porte le même prénom et que je suis rousse comme elle.

— Hum, hum… c'est l'heure, coupe Vincent, venu s'assurer que le couvre-feu serait respecté – et toujours aussi grognon. Ce n'est pas le moment de traîner, mademoiselle Laforce et monsieur Lévesque. Il est tard. Vous aurez amplement le temps de vous voir demain.

Tu parles d'un rabat-joie! Qu'est-ce que ça peut bien lui fiche que Guillaume et moi, on s'embrasse?

C'est à se demander s'il a déjà éprouvé des émotions et sait ce que c'est que d'aimer quelqu'un.

— Ne rêve pas trop aux tortures que tu pourrais infliger à notre cher Vincent-pas-de-cœur, murmure Guillaume à mon oreille. Pense plutôt à moi, tu auras une meilleure nuit, ajoute-t-il avec un clin d'œil.

Ouais... Encore faudrait-il qu'il ait un cœur, ce gars. Je souris quand même. Guillaume a toujours le mot pour me rendre de bonne humeur.

— On se voit demain, Ariel, lance-t-il avant de monter les escaliers menant à l'aile des garçons.

Je pars moi aussi en direction de ma chambre, non sans jeter un dernier regard assassin à Vincent. Pas sûre que cette nuit, j'arriverai à rêver à autre chose qu'aux supplices que je pourrais lui faire subir.

***

Lundi matin, madame Duval attend tous les élèves de première année dans l'amphithéâtre, au rez-de-chaussée. Nous avons reçu un feuillet d'information avec les listes des cours de l'an prochain. Dire que nous sommes déjà en mars. Ça va être vraiment excitant ! Après avoir calmé les élèves tout excités de découvrir leurs prochaines matières, madame Duval commence à nous expliquer de quoi il s'agit.

Je remarque alors avec peine que Kevin Swann, un élève qui avait parlé de quitter l'école à la suite de notre dernière mission, ne semble pas être là. Le pauvre, un *geek* plutôt gringalet, en était sorti terrorisé et remettait en question son avenir comme espion. J'espère qu'il va revenir bientôt, je l'aimais bien.

— Comme vous le savez, commence madame Duval, vous aurez, jusqu'à l'obtention de votre diplôme, deux tests importants par année. Un à Noël et l'autre en juin, en fin d'année. Chaque fois, une vingtaine d'élèves, qui auront eu les moins bons résultats, seront éliminés du programme. Donc, pour ceux qui réussiront l'examen et se rendront en deuxième année, voici ce dont il sera question. Vous aurez bien sûr les mêmes cours de base que dans les autres écoles. Français, mathématique, chimie, etc. Et plusieurs cours théoriques importants tels que des cours d'histoire de la politique et des enjeux nationaux et internationaux. En plus de vos cours d'immersion en anglais qui ont commencé le mois dernier. Mais vous devrez, d'ores et déjà, commencer à songer à choisir un champ de spécialisation dans votre domaine. Tous les employés qui travaillent au SCRS[2] ne font pas tous le même travail. Vous pouvez être analyste de données ou de filtrage,

---

2 . Le Service canadien du renseignement de sécurité (SCRS) est le principal service de renseignements du Canada. Il chapeaute les programmes de formation du collège.

agent sur le terrain, agent de filature ou technicien en écoute électronique, par exemple. De nombreux postes sont offerts.

Un murmure parcourt l'assistance. Wouah… je crois que c'est la première fois que l'on entend parler concrètement de ce que l'on pourrait faire, une fois employé au SCRS.

— Bien sûr, vous continuerez également d'avoir des cours d'espionnage de base et des examens généraux durant toute votre formation, poursuit madame Duval. Il est essentiel que tout bon espion ait des aptitudes générales d'espionnage et soit capable de s'adapter et de se débrouiller s'il devait se trouver dans une situation inattendue. Vous vous devez donc de recevoir la formation la plus complète possible. Néanmoins, chacun d'entre vous devra décider rapidement quel genre de travail il désire effectuer plus tard et, avec le temps, votre profil professionnel se précisera. Bien entendu, nous sommes là pour vous guider et vous assister, pour trouver le genre d'emploi convenant le plus à vos compétences et à vos talents.

Sans trop écouter le reste des explications de madame Duval qui tente vainement de nous détailler les procédures pour les inscriptions, les élèves, un peu indisciplinés, commencent déjà à regarder le contenu des documents reçus. Tout d'abord, il est obligatoire pour être espion de parler couramment au moins quatre langues! Ouille... tant que ça? J'essaie encore d'avoir un anglais fonctionnel, qu'est-ce que ça va être avec deux autres langues? Allons-nous avoir une sorte d'immersion comme avec l'anglais, cinq mois par année? Apprendre plusieurs langues en simultané? Ça commencerait à être drôlement compliqué. Je suppose que c'est pour participer à des missions internationales et aller à des événements de par le monde, comme ma mère, qui est agente sur le terrain pour le SCRS.

Ce qui me fait soudain m'interroger. Maman parle-t-elle quatre langues, elle aussi? Ou même davantage? Je me souviens vaguement l'avoir déjà entendue tenir une conversation en espagnol au téléphone avec un soi-disant éditeur mexicain – qui était sûrement une couverture pour cacher une mission – mais rien de plus. Et papa? S'il fait de l'écoute électronique partout dans le monde, doit-il comprendre les conversations qu'il enregistre? Je devrais leur poser la question, un de ces jours.

Depuis ma découverte, il y a quelques mois, que mes parents étaient espions depuis près de vingt ans, je les perçois vraiment d'une autre manière. C'est comme si je les redécouvrais sous un jour nouveau. Un peu comme si, brusquement, ils étaient devenus des super héros. Pourtant, j'ai toujours cru que ma mère était une déléguée culturelle et mon père, un simple technicien électronique pour le ministère des Affaires étrangères. À part le fait que les deux voyageaient souvent – en particulier ma mère –, je n'avais jamais remarqué quoi que ce soit d'inusité à propos de leur occupation. Je sens que je n'ai pas fini d'en apprendre et que je risque d'être surprise.

Je replonge dans la lecture de la brochure. On y parle de cours d'allemand, de russe ou de japonais, et de plusieurs autres langues. Je continue de lire les différentes sections. Dans les cours d'éducation physique, on trouve des cours de plongée sous-marine, de relaxation, mais aussi de résistance à la douleur et à la torture. Devrons-nous apprendre à utiliser de telles techniques d'interrogatoire sur les autres ? Également un cours théorique de base sur les méthodes et pratiques de torture et d'extorsion de renseignements. Brrr... ça donne froid dans le dos. Je pourrais demander à avoir Vincent comme cobaye, ça serait assez motivant, en fin de compte.

Suivent des cours d'utilisation d'armes dites «traditionnelles», comme l'épée et la dague, des cours de survie en milieux naturels divers – hum... je me demande de quel genre de milieux il est question – et de fabrication d'armes artisanales – wouh... on est loin des bricolages en carton du primaire. Enfin, il y a les cours de psychologie et lecture du langage non verbal, ainsi que de l'apprentissage des lois canadiennes et internationales. Sûrement utile lors de missions à l'étranger alors que l'on doit accomplir des tâches secrètes, voire à la limite de l'illégalité.

Enfin, on trouve aussi des cours de moto, mais aussi de manœuvres spéciales en cas de poursuite automobile, que ce soit pour semer quelqu'un ou le pourchasser. D'ailleurs, détenir un permis de conduire valide est évidemment obligatoire pour l'exercice de notre profession. Une chance que j'ai commencé à suivre des cours l'été dernier et que j'ai déjà un permis d'apprenti. Ne reste que l'examen pratique et c'est dans la poche!

Wow... j'ai déjà hâte à l'an prochain. Dommage qu'on ne puisse pas commencer ces cours-là tout de suite.

— Qu'est-ce que tu vas prendre, toi? demande Marilou, assise à ma gauche.

— Moi, en tout cas, c'est sûr que je veux les cours de manœuvres spéciales pour les poursuites automobiles, répond Guillaume, à ma droite. Surtout que je pourrais en avoir besoin très bientôt.

Quant à moi, je n'arrive pas à me décider. Tous les cours ont l'air intéressant. J'opte pour le cours de russe ou de mandarin? Pourquoi je ne peux pas les suivre tous? La confection d'armes et l'analyse du langage non verbal, ça semble vraiment bien aussi.

Je crois que je vais effectivement devoir demander l'aide de mes enseignants pour faire des choix, car tout est trop attrayant. Monsieur Marsolais, mon tuteur, saura sûrement me guider.

***

Jeudi matin, hourra! Après avoir souhaité une bonne journée à Marilou et Guillaume, en route pour leurs cours, je me rends au bureau de monsieur Frost pour avoir les détails de ce qui sera peut-être ma prochaine mission. Enfin, je vais savoir de quoi il retourne! Je n'en pouvais plus d'attendre. C'est d'ailleurs étrange, car monsieur Frost a été absent toute la semaine. Personne ne l'a vu. Où se trouvait-il? Mystère.

Mais surprise! Alors que je me dirige vers le bureau du directeur, je ne suis pas seule. Au moment où je m'approche de la porte, je vois Marilou qui s'apprête à y entrer aussi!

— Marilou? Qu'est-ce que tu fais là? Tu ne devrais pas être au cours de camouflage et déguisement de monsieur Vézina?

— J'ai été appelée au bureau de monsieur Frost samedi dernier, répond-elle. Je devais le voir lundi, mais ça a été remis à ce matin.

— Quoi? Toi aussi?

— Tu veux dire que tu as reçu un texto également? répond Marilou.

— Oui, un code jaune.

— Ça, alors! Comme moi! C'est incroyable! Crois-tu que d'autres personnes ont été convoquées?

— Je ne sais pas, allons voir dans le bureau du directeur.

Nous nous précipitons pour être fixées. Nous découvrons avec stupeur que plusieurs élèves et enseignants ont sans doute reçu le même texto énigmatique. En effet, Guillaume, Vincent, monsieur Marsolais et Béatrice se trouvent déjà dans le bureau de monsieur Frost. Ahurissant, ça fait cinq jours que nous avons été appelés à faire une mission ensemble, et nous ne le savions même pas!

Hum... peut-être était-ce pour cela que Guillaume mentionnait avoir besoin d'apprendre des manœuvres spéciales pour les poursuites automobiles. Il savait qu'il partait en mission bientôt.

Étant donné que nous sommes tenus au secret le plus absolu lorsque nous recevons ce genre de message, personne ne s'est douté que d'autres avaient été convoqués. À part peut-être Vincent et monsieur Marsolais, qui sont expérimentés et ont sûrement dû vivre ce genre de situation plus d'une fois.

Je déchante quand même un peu lorsque je m'aperçois que Béatrice fera partie de la mission. Berk.

Marilou s'assoit sur la dernière chaise libre, pendant que je m'installe derrière elle, tout près de Guillaume. La moitié d'entre nous est assise tandis que les autres sont debout derrière.

Je me sens excitée et anxieuse. Me voilà à peine revenue d'une mission en Europe pour trouver des bombes d'antimatière que je vais déjà participer à un nouveau travail[3]! Chouette!

Cependant, monsieur Frost n'est toujours pas arrivé. Étrange, ce n'est pas dans ses habitudes, il est si ponctuel. Surtout qu'il nous fait régulièrement des sermons sur l'importance absolument CA-PI-TA-LE d'arriver à l'heure. Une habitude cruciale pour être un bon espion, d'ailleurs. J'espère qu'il ne lui est rien arrivé de grave.

— Comment se fait-il que monsieur Frost ne soit pas encore là? me chuchote Guillaume à l'oreille. C'est bizarre.

Comme d'habitude, Vincent l'a entendu avec ses tympans bioniques.

— Il a certainement eu un contretemps, c'est tout, rétorque-t-il froidement. Et je vous ferai remarquer qu'il n'a aucun compte à vous rendre.

— Mais ça ne vous inquiète pas? dis-je. Ce n'est pas normal, il me semble.

---

3   Voir *Ariel à l'école des espions*, tome 1: *Mathématique et bombes.*

— Ne vous en faites pas, ajoute monsieur Marsolais. Tout va bien et il arrivera bientôt.

Après quelques minutes d'attente où tout le monde s'interroge silencieusement et angoisse quand même un peu sur le sort de notre directeur, un bruit curieux se fait entendre à l'extérieur. Un genre de bourdonnement puissant, comme un très gros moteur. On dirait même que ça se rapproche. Au même instant, les vitres des fenêtres se mettent à vibrer légèrement. Le bruit devient assourdissant. Maïs qu'est-ce que ça peut bien être? Un char d'assaut ou quoi?

Tout le monde se hâte vers les fenêtres, pour tenter de voir ce qui se passe. Mais le temps est gris, maussade, et il y a un peu de brouillard, ce matin. On voit à peine plus loin qu'une quinzaine de mètres. Pas de camion en vue, malgré le bruit et la vibration qui persistent et deviennent de plus en plus forts. Nous comprenons alors que le son provient d'en haut, du ciel plus précisément. Nous levons la tête à la recherche de la réponse.

Un hélicoptère surgit soudain de la brume au-dessus de nous. Ça, alors! Il descend tout droit en direction de l'école. Mais où pense-t-il atterrir, celui-là? Sûrement pas dans la cour intérieure, c'est bien trop petit. Et le jardin devant le collège, avec ses arbres, n'a pas d'espace assez grand pour l'accueillir non plus. Que va-t-il faire?

— Mais qu'est-ce qu'ils font là? demande Béatrice. Et qui sont-ils, d'abord?

— C'est l'hélicoptère du SCRS, dit monsieur Marsolais. Il doit sûrement ramener monsieur Frost, justement.

— Où vont-ils se poser? demande Guillaume. Il n'y a pas de place nulle part.

— Sur le toit, répond simplement monsieur Marsolais.

Quoi? Mais ils sont fous! Est-ce seulement possible? Je veux bien croire que le toit est plat, mais ce n'est pas une piste d'atterrissage!

— Ça me semble vraiment étroit, fait remarquer Marilou, qui partage ma crainte.

— Ce sont des pros, ne vous en faites pas, sourit monsieur Marsolais.

Wow... monsieur Marsolais et Vincent ne paraissent même pas étonnés, comme s'il était parfaitement habituel et normal de voir un gros appareil volant de douze mètres de longueur surgir des nuages et se poser au-dessus de nos têtes. Je n'ai clairement pas fini d'être surprise dans cette école.

Je n'y tiens plus et je sors en courant du bureau de monsieur Frost, pour me rendre dans la cour intérieure, où je verrai mieux ce qui se passe. L'école n'a que deux étages – enfin, au-dessus de la surface, car une bonne partie est souterraine –, on aura une vue imprenable de l'hélicoptère. Marilou, Béatrice et Guillaume me suivent. L'air froid me fouette la peau, pendant que j'essaie de me réchauffer en frottant mes bras sur mon corps et en sautillant sur place. De plus, l'hélice provoque des rafales tout autour. Je vois, derrière les fenêtres des salles de classe du deuxième étage donnant sur la cour, le visage stupéfait des autres élèves qui observent l'hélicoptère avec la même surprise.

L'appareil tournoie lentement au-dessus du toit, en tanguant de gauche à droite, tente de se stabiliser et de s'aligner sur l'espace prévu pour l'atterrissage. Ses pales frôlent les arbres tout près et une tour de pierre du collège. Comme les autres élèves, je retiens mon souffle, ébahie.

Mais le pilote, un expert, parvient à éviter tous les obstacles pour atterrir sans embûches. Doucement, l'hélicoptère se pose avec une précision sidérante sur la toiture, en soulevant des nuages et des tourbillons de neige au passage. À peine a-t-il posé ses patins sur le toit que monsieur Frost en sort et disparaît dans une trappe. Je retourne rapidement avec les autres dans le bureau. De toute manière, je commençais à être frigorifiée.

Au moment où nous atteignons le bureau, notre directeur arrive enfin, en nage et essoufflé. Sa cravate est défaite et son col, habituellement fermé bien serré, est détaché. Avec ses airs du colonel Sanders de PFK endimanché, ça ne lui ressemble pas du tout.

Wow... qu'est-ce qui a bien pu lui arriver ?

— Désolé, j'arrive directement du bureau du SCRS, explique-t-il. J'y ai été toute la nuit pour une importante réunion d'urgence et on vient de me laisser partir...

Il s'écroule presque sur sa chaise, ce qui est hautement inhabituel chez lui, généralement si droit, rangé et au-dessus de ses affaires. On jurerait qu'il a couru de là-bas jusqu'ici. Il prend une bonne respiration, puis se lève brusquement. Rapidement, il enlève sa cravate, en sort une nouvelle d'une armoire à côté de son bureau, toujours sous nos yeux étonnés. Il reboutonne son col de chemise, noue sa nouvelle cravate et enfile un veston à une vitesse étonnante. En quelques instants, il a repris son apparence distinguée.

Il se rassoit alors sur sa chaise de cuir capitonnée, puis ouvre un dossier top secret qu'il étale sur son bureau, comme si de rien n'était.

— Alors, je ne tournerai pas trop autour du pot, annonce-t-il, après avoir repris son souffle. Tout d'abord, je vous rappelle que ce qui est dit dans cette pièce ne doit en sortir sous aucun prétexte. Pas le moindre mot à vos camarades ni à vos familles. Il n'y a que moi, ainsi que messieurs Marsolais et

Larochelle, à qui vous pourrez parler de cette mission. Pour tous les autres, c'est top secret. Même pour les autres enseignants et ma secrétaire, vous ne dites pas un seul mot. Vos coéquipiers et professeurs seront au courant que vous êtes en mission, et c'est tout. Si vous devez parler de ce travail entre vous, isolez-vous dans une pièce fermée et assurez-vous que personne ne peut vous écouter. C'est bien compris ?

Tout le monde acquiesce d'un seul mouvement.

— Bien. Alors, nous avons reçu une demande du SCRS, qui requiert les services de certains de nos étudiants. Voyez-vous, un espion, sans doute un agent dormant du KGB[4], aurait probablement été « réveillé » et aurait tenté d'infiltrer le réseau informatique du SCRS et du ministère de la Défense nationale.

— Un agent dormant ? demande Marilou. Qu'est-ce que c'est ?

Je souris. C'est vrai que, contrairement à moi, elle n'a pas eu affaire à de véritables espions professionnels encore et ne sait pas tout ce que j'ai appris.

— L'agent dormant est un espion délibérément inactif pour une période indéterminée, explique monsieur Marsolais. Il cesse toute communication

---

4   Service de renseignements de l'Union soviétique, de 1954 à 1991.

avec l'organisme pour lequel il travaille et fait semblant de vivre une vie parfaitement normale au sein de la population. Cela peut durer des années. L'espion pourrait aussi bien être comptable, technicien informatique ou même artiste peintre. Les agents dormants paraissent absolument ordinaires et au-dessus de tout soupçon, ce qui les rend pratiquement indétectables. Au moment où son organisation a besoin de lui, l'agent dormant est «réveillé» et entre en scène. C'est justement quand ils deviennent actifs que ces espions peuvent être découverts. Malheureusement, à ce moment-là, ils ont souvent déjà réussi à infiltrer des organisations parfois très puissantes et peuvent dérober des renseignements secrets et même de l'équipement et des armes.

— Je vois, merci, dit Marilou.

— Les analystes du SCRS ont fait enquête et, grâce à l'adresse IP[5] du pirate informatique, ils sont parvenus à le localiser, poursuit monsieur Frost. Cependant, ils n'ont pas encore réussi à percer exactement son identité, car trouver l'adresse IP d'un ordinateur a ses limites. En effet, une adresse IP peut être utilisée par plusieurs personnes simultanément, et il est possible d'usurper l'adresse IP d'autrui. Bref, nous avons une idée de l'emplacement de l'espion

---

5   Numéro d'identification attribué à chaque appareil informatique connecté à un réseau informatique.

et savons quel ordinateur il a employé, mais sans plus. Nous savons que c'est l'ordinateur de bureau d'un réalisateur de télévision, mais ce dernier était en voyage lorsque les opérations suspectes ont eu lieu sur son appareil. Nous savons donc que ce n'est pas lui, le responsable. En revanche, le SCRS a détecté des conversations et des échanges de courriels suspects en russe tout récemment dans le même secteur. Ses agents soupçonnent donc un agent russe de vouloir infiltrer nos services secrets, mais ils manquent de renseignements.

Wouah... ça commence drôlement bien, quand même. On se croirait presque en pleine guerre froide! Enfin, je ne connais pas grand-chose à ce sujet, mis à part que c'était une période de tension entre l'Amérique et l'URSS il y a plusieurs décennies. Mais ça ressemble à ce qu'on voit dans les films sur le sujet, en tout cas.

Cependant, je ne saisis pas en quoi nous entrons en scène.

— Et qu'est-ce qu'on vient faire là-dedans, nous? demande justement Guillaume.

Je retiens un rire. Nous pensons exactement la même chose à la même seconde. On est tellement connectés, lui et moi.

— Eh bien, croyez-le ou non, le SCRS soupçonne un acteur d'être un espion à la solde des Russes.

Quoi? Un acteur-espion? J'ignorais que c'était possible. Quoique... si l'on se fie à ce que vient de nous dire monsieur Marsolais, les agents dormants peuvent exercer n'importe quel métier. Alors pourquoi pas celui de comédien, au fond?

— Alors, nous avons besoin de jeunes agents, poursuit monsieur Frost, car vous allez être recrutés en tant que figurants sur le plateau de tournage afin d'aider le SCRS à enquêter là-dessus. Messieurs Marsolais et Larochelle seront quant à eux employés dans l'équipe technique. Votre travail consistera essentiellement en une mission d'observation, ajoute-t-il en me fixant plus intensément. Vous devrez rapporter les renseignements que vous recueillerez à messieurs Marsolais et Larochelle et au SCRS. De plus, vous serez équipés de caméras et de micros camouflés dans des montres et des bijoux que vous devrez porter tout le long de votre mission.

Une simple mission d'observation, comme la dernière fois. D'accord, elle s'était singulièrement transformée pour devenir un voyage en Europe, suivi d'une prise d'otage et d'une chute improvisée de plusieurs milliers de mètres d'un avion, mais ça ne doit sûrement pas arriver souvent, ce genre de choses. Ça ne me dérange pas trop d'avoir un travail plus tranquille pour une fois, je dois dire.

— Le tournage de la nouvelle saison de l'émission commence dans trois semaines, explique monsieur

Frost. Cela nous donnera le temps de vous préparer, de vous créer un curriculum vitæ de figurants et de vous donner une petite formation d'acteurs pour avoir l'air crédible. Nous serons aussi en mesure d'en savoir plus sur notre cible, qui sera identifiée sous le nom de code « Facteur ». Lorsque le tournage commencera, vous ferez donc la navette régulièrement entre Ottawa et Montréal, afin de participer aux jours de tournage auxquels vous serez assignés. Vous n'y serez cependant pas tous en même temps.

À Montréal ? Chouette, peut-être que je reverrai Laurence plus souvent, alors ! Depuis que j'ai été admise dans ce collège, il y a déjà sept mois, je n'ai presque pas pu revoir ma meilleure amie de toujours, et elle me manque terriblement.

Peut-on vraiment espérer une meilleure situation ? Heu... à part pour la participation de Vincent et Béatrice, ce qui gâche un peu mon plaisir.

— C'est quoi, l'émission à laquelle nous allons participer ? s'enquiert Béatrice.

Monsieur Frost hésite, puis consulte son dossier.

— Hum... il s'agit d'une série intitulée *Maïka : une vie secrète et compliquée*, répond-il.

Quoi ? Mais c'est trop génial ! Je participe encore à une mission, je vais revoir ma meilleure amie et mes parents plus souvent et, en plus, je vais être sur le plateau de tournage de la meilleure série télévisée de l'année! Trop cool!

Ça ne pourrait pas aller mieux. Rien ne pourra gâcher mon bonheur. Même pas la présence de Béatrice et de Vincent-pas-de-cœur.

CHAPITRE 2
On la joue dure

Nous voilà déjà au mois d'avril. Bientôt, je vais pouvoir me remettre au *longboard* avec Guillaume. Voilà près d'une dizaine de jours que mes coéquipiers et moi avons été mis au courant de notre mission et le tournage va commencer dans près d'une semaine.

Grâce à une agence d'artistes fictive créée il y a déjà longtemps pour les couvertures des espions, le SCRS a réussi à nous inventer des dossiers de figurants et de techniciens très convaincants, avec photos professionnelles à l'appui pour ceux qui en avaient besoin. Cependant, pour nous, il n'y aura pas de fausses identités, puisque nous ferons des apparitions publiques télévisées – même si elles seront discrètes – et il serait difficile d'expliquer la situation à nos proches, s'ils nous reconnaissaient à l'écran.

Je ne sais pas comment les gens du SCRS s'y sont pris pour parvenir à convaincre la maison de production de tous nous embaucher, mais ça n'a même pas paru difficile. Le temps de crier « ciseau » et c'était chose faite. Les producteurs auraient-ils été mis au courant pour plus de collaboration? Impossible de le savoir.

On ne nous communique que l'essentiel pour mener à bien notre mission. Pour l'instant, nous en savons peu sur l'agent et même sur la tâche qu'il devrait accomplir. Évidemment, s'il a tenté de pirater le SCRS et la Défense nationale, c'est qu'il veut dérober des renseignements. Mais quoi, exactement?

Pas facile d'enquêter sur un espion dont on ne sait presque rien. Les autres et moi-même avons épluché le dossier que le SCRS nous a transmis, mais il est bien mince. Comment détecter un agent lorsqu'on n'a pratiquement aucun indice à son sujet? Je crois que nous allons devoir improviser beaucoup lorsque nous serons sur place.

Et enquêter comment, au juste? J'espère que monsieur Marsolais et Vincent ont de bonnes idées en tête pour cela. Et je me demande comment nous allons concilier les horaires de cours avec ceux du tournage et les tâches de figurants à celles d'espions.

En tout cas, le SCRS soupçonne très fortement l'un des acteurs principaux, car l'emplacement de l'ordinateur utilisé ainsi que les horaires de tournage de certains comédiens correspondent aux intrusions des systèmes informatiques.

Nous avons donc le passé de ces derniers en revue.

Tout d'abord la superbe Justine Larouche, l'actrice principale de *Maïka : une vie secrète et compliquée*. Elle y joue le rôle-titre. Âgée de vingt-six ans – ben dis donc, elle a neuf ans de plus que le personnage qu'elle joue ! –, elle a grandi à Deux-Montagnes, a été élève à la polyvalente de sa ville, a posé comme mannequin pour des magazines et a ensuite étudié à l'École de théâtre. Rien d'extraordinaire dans son parcours.

Jean-Philippe Langlois, le très séduisant comédien qui incarne avec brio le rôle d'Adrien Rex Jr et qui fait saliver toutes les fans de la série, a vingt-sept ans. Ouais, il est quand même vieux pour jouer ce rôle-là lui aussi, même s'il est craquant. Si l'on parvient à oublier son corps mince et athlétique d'Apollon, ses cheveux châtains et ondulés et ses yeux turquoise comme la mer, on peut dire qu'il n'y a rien d'exceptionnel à son sujet. Né dans les Laurentides, il est reconnu pour son amour des armes. Bon, à part ce détail – qui ne le rend pas coupable pour autant – rien à signaler.

Ève-Marie Deslauriers, âgée de vingt-cinq ans, actrice mulâtre, tient le rôle d'une des meilleures amies de Maïka. Elle est née et a grandi à Montréal. Rien d'inhabituel pour elle non plus, à part son nez refait. Vient ensuite Alyssa Rondeau. À l'exception du fait qu'elle a une très impressionnante collection de poupées de porcelaine et qu'elle a obtenu une bourse pour étudier aux États-Unis, son passé n'a rien de notable.

Et il en va de même pour tous les autres acteurs principaux de la série. Hum… On voit qu'ils ont bien caché leur jeu et n'ont laissé aucune trace de passé suspect, s'il y en a un. Je suppose que l'on trouvera bien quelque chose une fois sur place.

Mais aujourd'hui, c'est dimanche, jour de congé. Guillaume m'a invitée à aller passer l'après-midi au Vertical Reality, un gym d'escalade intérieure, sur l'île Victoria, où notre institution, le Collège des Sœurs de la Très Sainte Trinité, est située. C'est l'une des rares attractions de cette île minuscule localisée au beau milieu de la rivière des Outaouais. J'ai hâte de voir ça.

Après, Guillaume veut m'emmener souper dans un restaurant chic. Il ne m'a pas dit où exactement, il me réserve la surprise. Je me demande si ce sera un endroit romantique.

Je suis excitée comme une puce. J'ai tellement hâte. Avec les cours de l'an prochain à choisir en plus, les nombreuses leçons, je suis épuisée. Faire une activité en plus d'aller manger à l'extérieur va me distraire et me faire le plus grand bien.

Quelle tenue vais-je mettre ? Je choisirais bien ma robe bleu marine, mais faire de l'escalade avec ça sur le dos risque d'être un peu trop compliqué.

Finalement, avec les conseils de Laurence par Skype – la mode, ce n'est pas trop mon truc –, j'opte pour un jean chic orné de paillettes et de petites pierres dorées qui forment des étoiles sur les poches arrière. Je mettrai aussi mon t-shirt doré à mailles avec un haut mauve en dessous.

Vite, il ne me reste qu'une heure avant le rendez-vous! Je saute dans la douche. Il faut aussi que je puisse me peigner et me parfumer un peu avec mon eau de toilette préférée, *Japanese Cherry Blossom*. Dommage que Laurence ne soit pas là pour me créer une coiffure époustouflante dont elle seule a le secret. Je vais devoir me débrouiller.

Je prends mon shampoing, en applique généreusement et me lave les cheveux avec vigueur. Pas question que je ne sois pas impeccable pour notre sortie! Le contact chaud de l'eau me fait du bien et l'odeur fruitée du shampoing me détend pendant que je ferme les yeux et relaxe un peu.

Soudainement, je remarque que quelque chose cloche. À mes pieds, l'eau qui coule dans la douche est violette! Mais qu'est-ce que c'est que ça? Je vois alors avec effroi que ça vient de ma tête! Arg! Au secours, qu'est-ce qui se passe?

Je bondis hors de la douche, encore toute trempée, glisse sur les carreaux de céramique et perds l'équilibre. Je me rattrape juste à temps à la barre des serviettes pour éviter de me fracasser le crâne sur la toilette. Je glisse ensuite vers le miroir et essuie la buée qui le recouvre.

L'horreur! Mes cheveux ont une teinte mauve! Pire que ça, de grandes coulisses de la même couleur parsèment ma peau, un peu partout!

Qu'est-ce que c'est que ça?

— Marilouuuuuuu!

Ma copine arrive en courant dans la salle de bain à la suite de mon hurlement. L'expression de panique qu'elle affiche ne me rassure pas du tout.

— Ariel, mais qu'est-ce qui t'est arrivé?

— Je ne sais pas, je me lavais les cheveux et, tout à coup, l'eau est devenue de cette couleur!

Marilou fronce les sourcils, songeuse. Puis, sans faire ni une ni deux, elle se dirige vers la douche et prend ma bouteille de shampoing. Aussitôt, elle vide une partie du contenu dans le verre qui se trouve sur le bord du lavabo. Le shampoing est mauve, lui aussi!

Mon Dieu, est-ce que du shampoing, ça peut changer de couleur comme cela? Y a-t-il une date d'expiration et après, ça change de composition chimique? Pourquoi on ne nous prévient pas de ces choses-là?

Marilou délaisse la bouteille de shampoing pour se saisir du verre. Elle l'approche de son visage et l'examine avec circonspection. Elle fait bouger la substance dans le verre, observe les traces sur la vitre, puis hume le tout. Pendant ce temps, je m'enroule dans une serviette, je commence à avoir froid.

— Il n'y a pas que du shampoing, là-dedans, déclare-t-elle. Il y a aussi de la teinture à cheveux.

— Hein? Mais comment est-ce possible?

— À mon avis, quelqu'un a voulu te jouer un tour et a remplacé une partie du contenu de ta bouteille de shampoing par de la teinture à cheveux mauve.

Quoi? Mais qui a pu faire une chose pareille?

Je parierais toute ma collection de jeux de PlayStation 4 qu'il s'agit de Béatrice!

Il y a deux jours, lorsque je parlais à Marilou de la sortie que Guillaume et moi prévoyions, elle était tout près et je voyais bien qu'elle faisait la grimace dans son coin. Ça fait des mois que Béatrice tourne autour de Guillaume et ne souhaite qu'une chose: lui mettre le grappin dessus! Dès le premier jour où nous nous sommes rencontrées au collège, alors qu'elle faisait une scène pour obtenir une chambre privée, Béatrice et moi, nous nous sommes détestées.

En plus, je l'ai vue rôder autour de ma chambre hier soir, alors que d'habitude, elle m'évite comme la peste. Vraiment louche. Je suis certaine qu'elle a décidé de saboter ma journée de congé avec Guillaume. Et le pire, c'est qu'elle a réussi! J'ai l'air d'un gros raisin ! Je ne vais pas me montrer ainsi en public !

Vite ! Je me lance dans la douche, en essayant désespérément de nettoyer tout cela le plus rapidement possible ! Peut-être que je parviendrai à limiter les dégâts. Après quelques minutes à me frotter le plus énergiquement possible, avec l'aide de Marilou qui tente de m'astiquer le dos du mieux qu'elle peut, je dois me rendre à l'évidence, c'est foutu ! Je suis irrémédiablement barbouillée de mauve.

Le pire, c'est que la teinture est complètement inégale. Si au moins ça avait l'air bien fait. J'ai des taches et des coulisses d'intensité de couleur et de formes diverses, disséminées un peu partout dans les cheveux et sur ma peau. On jurerait que je suis porteuse d'un virus louche et exotique de la planète Mars.

C'est la catastrophe. Pas question que Guillaume ou même qui que ce soit d'autre me voit grimée de la sorte ! Je ne sais pas ce qui me retient d'aller pratiquer une combinaison de techniques de karaté sur Béatrice et sa bande immédiatement.

Non, en fait, je sais très bien ce qui me retient. Premièrement, je n'ai aucune preuve contre elle. Deuxièmement, cela m'obligerait à sortir de la chambre et, dans cet état, il n'en est pas question.

Que vais-je faire ?

— Je ne peux pas sortir comme ça. J'ai l'air ridicule.

— Voyons, Ariel, argue Marilou, tu ne vas rester enfermée pendant des semaines dans la chambre, en attendant que la teinture disparaisse. Tu vas bien devoir sortir à un moment donné.

— Je ne veux pas que Guillaume me voie dans cet état! Et encore moins qu'on fasse une sortie ensemble alors que j'ai l'air de ça!

Bon sang, combien de temps cette fichue teinture peut-elle rester?

— Je suis certaine que Guillaume se fiche de ton apparence, voyons, répond Marilou.

— Lui peut-être que oui, mais moi non. On va me regarder comme un animal bizarre. J'ai trop honte.

Non seulement les autres élèves vont se moquer de moi, mais ma place dans la prochaine mission pourrait être compromise. Car je ne suis pas sûre du tout que les producteurs de l'émission *Maïka* accepteraient d'avoir une figurante bariolée de mauve.

Et en plus, je dois passer mon examen de conduite pour obtenir mon permis probatoire dans trois jours. Je ne pense pas être superficielle, mais je n'ai pas envie de me montrer ainsi. Sans compter la photo de mon permis, où j'aurai l'air ridicule et bizarre. Tant pis, je vais annuler ma sortie avec Guillaume.

Lorsque je l'appelle sur son cellulaire pour le lui annoncer, il tente par tous les moyens de me faire changer d'idée. Mais je ne veux pas, je ne peux pas. Je m'excuse et finis par raccrocher, le cœur gros.

Bien sûr, j'aurais dû me douter que Guillaume n'allait pas abandonner la partie aussi facilement, que c'était bien mal le connaître. Quelques minutes plus tard, il se pointe dans ma chambre, même si, théoriquement, les garçons et les filles ne peuvent pas circuler d'un dortoir à l'autre. Il a considéré que le risque en valait la chandelle et il a réussi à passer par les souterrains de l'école, qui occupent presque la moitié de la superficie du collège. Car même si la salle commune communique entre les dortoirs, elle est surveillée. Pas question que les gars et les filles puissent se déplacer d'un dortoir à l'autre.

En le voyant apparaître dans l'embrasure de ma porte de chambre, je manque de faire un arrêt cardiaque. Oh non, c'est pas vrai! Il m'a vue toute barbouillée de mauve, maintenant! Je pousse un cri et me précipite vers mon lit pour me rouler en boule et me cacher sous mes couvertures. La honte! Guillaume se met à rire, s'approche du lit et soulève délicatement les couvertures.

— Voyons, Ariel, c'est pas grave, me dit-il d'une voix douce. Tu es super belle, ma petite sirène, même en mauve. Et on s'en fout de ce que les autres pensent de toi.

Je relève la tête et le regarde, par le coin de la couverture que Guillaume a relevée. Ses mots me vont droit au cœur, mais je suis quand même trop gênée pour oser me montrer le bout du nez à l'extérieur.

— Moi, je ne m'en fous pas, Guillaume. Tu vas peut-être croire que c'est immature, mon affaire, mais je ne veux pas qu'on me voie. Je suis vraiment désolée. Je sais que tu tenais à cette sortie. Mais je ne me montrerai pas en public et encore moins dans un restaurant arrangée comme ça.

— On peut faire autre chose, alors. Mais tu n'as pas à rester camouflée sous tes couvertures pendant des jours. On peut trouver une autre solution pour s'amuser aujourd'hui quand même, tu sais.

En fin de compte, Guillaume a réussi à me convaincre, à force d'arguments, de faire un petit pique-nique par terre dans sa chambre, en secret, bien à l'abri des regards. Son chambreur nous a même laissés seuls pendant trois heures, pour aller étudier à la bibliothèque. Dommage tout de même, car c'était une journée de printemps magnifique et sortir m'aurait fait du bien. Mais je ne suis pas prête à affronter le regard des autres encore.

Guillaume et moi, on a discuté de ce que l'on pourrait faire subir à Béatrice pour ce mauvais coup, bien que Guillaume m'ait souligné l'absence de preuve envers la suspecte numéro un. D'abord, si on trouvait un sérum de vérité, comme le penthotal, pour lui administrer et lui faire avouer son crime. Et peut-être même des secrets compromettants et gênants, qui sait ? Et après, nous avons discuté en rigolant de la façon dont nous pourrions lui jouer un petit tour de notre cru.

Je n'ai rien trouvé qui me satisfasse vraiment dans les options soulevées, mais j'ai encore bien du temps devant moi. Béatrice a voulu la jouer dure ? Elle ne perd rien pour attendre. Après tout, ne dit-on pas que la vengeance est un plat qui se mange froid ?

Ce n'est pas la catastrophe totale, car nous avons pu en tirer quelque chose de positif, mais ma journée est en bonne partie gâchée. Je jure que les choses n'en resteront sûrement pas là.

***

Le lendemain, je rassemble tout mon courage grâce aux encouragements de Guillaume et de Marilou, et je décide de braver les regards ahuris

ou moqueurs ainsi que les fous rires à peine dissi-
mulés des autres élèves, toute la journée. Je tente
de marcher la tête haute, mine de rien, sans me
soucier de leurs réactions, mais ce n'est pas si facile que ça. Dommage que les cours de monsieur
Vézina soient encore essentiellement concentrés
sur les déguisements et qu'il ne nous ait pas encore
enseigné beaucoup de méthodes de camouflage, ça
m'aurait été bien utile aujourd'hui.

Par chance, je suis parvenue à obtenir un rendez-
vous éclair au salon de coiffure, dès ce soir, à la dernière minute. En attendant, l'air narquois de Béatrice
en voyant ma tête est sans équivoque. Elle se réjouit
clairement de sa blague et de l'état extraterrestre de
ma chevelure.

— Belle couleur, la poissonne, se moque-t-elle.
Ça vient de quelle algue, au juste?

Grrr… elle m'énerve! J'aimerais trouver une réplique qui lui clouerait le bec, mais je ne trouve rien
à répondre et me renfrogne en m'enfonçant dans
mon col roulé.

Même Vincent, qui est aussi peu expressif qu'une
rampe d'escalier, a écarquillé les yeux en me voyant
arriver à la cafétéria pour le déjeuner. Il m'a suivie
du regard jusqu'à ce que j'arrive au comptoir de la
boulangerie, sans même se rendre compte que le
lait dégoulinait de sa cuillère de céréales, restée en

suspens près de sa bouche grande ouverte. Super... déjà qu'il m'a reproché à plus d'une reprise de manquer de discrétion et est même allé jusqu'à se plaindre de l'aspect flamboyant de mes cheveux. Je suppose qu'il va encore me faire des sermons?

En fin de compte, il n'est pas allé jusqu'à me réprimander, mais j'ai l'impression que les questions autant que les critiques lui brûlaient les lèvres. Peut-être va-t-il dénoncer mon état à monsieur Frost pour qu'il me mette à l'écart de la mission? Il est bien capable de vouloir m'en faire retirer, juste à cause de mon look devenu un peu trop bizarre et voyant.

Je suis prête à parier que Béatrice sauterait au plafond si elle apprenait que je ne fasse plus partie de la prochaine mission. Déjà qu'elle m'envie probablement d'en avoir accompli une avant elle, et avec brio en plus.

Vivement mon rendez-vous chez le coiffeur! Il a intérêt à être efficace, celui-là, si je veux régler mon problème d'apparence rapidement et ne pas avoir d'ennuis.

***

Le lendemain, après ma visite pour mes cheveux, je me sens déjà mieux. Le coiffeur a accompli un véritable miracle! Il a trouvé une teinture parfaitement identique à ma couleur naturelle. Plus aucune trace de «l'incident». Et, n'en déplaise à Vincent qui trouve mes cheveux extravagants, je ne me ferai pas teindre en brune, juste pour lui faire plaisir et être plus discrète. Ma peau a encore l'air un peu bizarre, mais avec un peu de fond de teint, ça ne paraît presque plus.

Et vlan dans les dents, Béatrice! Tu auras peut-être réussi à gâcher en partie ma sortie avec Guillaume, mais tu ne l'emporteras pas au paradis. Ma semaine ne sera pas ratée et je pourrai participer à la mission sans problème. Je suis soulagée. C'est bien la preuve que je sais me débrouiller et me dépêtrer de situations problématiques rapidement, non? Je pense que les enseignants devraient considérer cela dans mes prochaines évaluations, tiens.

Déjà, voir le nouvel air ahuri de Béatrice – qu'elle dissimule avec peine – lorsqu'elle m'aperçoit entrer en classe alors que mon apparence est de nouveau impeccable, ça vaut cent dollars!

Qui plus est, j'ai une belle surprise en m'assoyant à mon pupitre. Je vois Kevin, qui est de retour parmi nous! Il semblerait que la mission à laquelle nous avons participé il y a environ un mois ne l'a peut-être pas traumatisé tant que ça, en fin de compte.

— Kevin! Tu es revenu, finalement?

— Oui, j'ai longuement réfléchi quand je suis retourné chez mes parents, et j'ai décidé que ma place était ici. Tu avais raison. Après tout, je ne suis pas obligé d'être un espion sur le terrain, je peux travailler dans un bureau comme analyste. J'aime ce que l'on fait ici, mais je ne suis pas obligé de mettre ma vie en danger pour les prochaines tâches que nous aurons. J'aurai du rattrapage à faire, par contre, car j'ai manqué plusieurs semaines d'école.

— Alors là, je suis vraiment contente! Rebienvenue chez toi. Et je ne suis pas inquiète pour toi, tu es tellement doué que tu vas sûrement nous rattraper en un rien de temps.

Vraiment, deux belles choses qui viennent de m'arriver ce matin. La réaction de Béatrice et le retour de Kevin. La semaine avait mal commencé, mais la situation s'est bien retournée, au bout du compte.

La cloche sonne et le cours commence. Ce matin, madame McDowell nous donne un cours sur les différents types d'agents des organisations d'espionnage. Hum… quelque chose me dit que ce n'est peut-être pas une coïncidence et que cela a peut-être quelque chose à voir avec notre nouvelle mission.

Une bonne manière de transmettre les renseignements à tous les élèves, mais aussi à ceux qui seront de la prochaine mission et en auront besoin tout de suite.

— Alors, comme vous le savez, commence madame McDowell, le SCRS dispose de beaucoup d'employés et ils n'occupent pas tous le même genre de poste. Il y a plusieurs types de spécialisations et d'agents. Puisque vous devez bientôt commencer à songer à faire des choix, il est important de vous informer de la nature des divers emplois et de vous interroger sur ce que vous pourriez faire. Vous devez aussi connaître les types d'espions à qui vous aurez affaire et qui seront vos ennemis.

Un murmure parcourt la classe. Comme les autres élèves, j'ai hâte de savoir de quoi il retourne.

— Tout d'abord, explique madame McDowell, sachez qu'un espion ou un agent est une personne qui pratique l'espionnage de manière professionnelle ou une activité relative à la collecte clandestine de renseignements secrets classifiés. Parfois, c'est pour le compte d'une entreprise privée ou d'un gouvernement. Les agents font partie d'une structure complète, composée de plusieurs actants: les officiers traitants, les agents eux-mêmes et les techniciens.

Madame McDowell se tourne alors vers son tableau numérique interactif et y fait apparaître un organigramme complexe du SCRS et même d'autres organisations.

— En tout premier lieu, il y a les officiers traitants. Ce sont des fonctionnaires civils ou des militaires en activité qui sont membres permanents d'un service de renseignements, et sont chargés de recruter des agents. On les appelle aussi contrôleurs de sources. Les sources peuvent être des espions autant que des appareils d'écoute, bref ceux qui fournissent l'information. Ce sont souvent les officiers traitants qui forment les agents et ils sont généralement eux-mêmes d'anciens espions. Ils informent les agents des missions et reçoivent ensuite les renseignements de leurs agents sources. Monsieur Frost en est un exemple.

Hum... ça semble intéressant comme boulot. Je n'aurais jamais songé à faire ce travail.

— Les agents, quant à eux, poursuit madame McDowell, fournissent les renseignements à la demande des officiers traitants. Ce sont des sources très importantes pour le gouvernement. Il y en a plusieurs genres. D'abord, les agents d'infiltration, dont l'activité consiste à s'infiltrer dans des organisations adverses. Parmi ceux-ci, les agents dormants, des individus établis en toute clandestinité sur un territoire et attendant d'être activés pour une mission. Ensuite, il y a les transfuges. Ce sont des membres des services secrets qui fuient leur pays pour se réfugier dans un autre pays, auquel il propose les renseignements qu'ils détiennent. Viennent ensuite les agents doubles, ou « taupes », en langage familier. Il s'agit d'une personne qui travaille pour le compte de deux organisations différentes, à l'insu de l'une des deux. Cette personne peut œuvrer officiellement pour l'organisation d'un pays A, tout en remettant ses documents secrets à un pays B. Il existe même des agents triples, censés être des agents doubles, mais en fait loyaux à leur première organisation. Nous avons beau garder une surveillance étroite de nos propres espions, il arrive malheureusement que certains parviennent à tromper le gouvernement.

— Madame McDowell ? interrompt Megan, une élève.

— Oui, Megan ?

— Qu'est-ce qui peut motiver des gens à faire cela ? N'est-ce pas de la trahison, en quelque sorte ?

— Oh oui, absolument. Mais les motifs de ce genre de décisions peuvent varier. Ça peut être une question d'idéologie, comme lorsqu'une personne n'est plus d'accord avec les idées du pays pour lequel elle travaille, par exemple. Mais ça peut être aussi par appât du gain, quand la personne vend ses renseignements en échange de fortes sommes d'argent. Et parfois, malheureusement, la personne a été intimidée, menacée, ou alors, on l'a fait chanter. Dans ce cas, une organisation détient habituellement des renseignements compromettants au sujet de la personne et lui extorque des services en échange du silence.

— Est-ce que ça arrive souvent?

— Qu'un espion le soit devenu contre son gré n'est pas très courant, mais on voit cela régulièrement tout de même, répond madame McDowell. D'ailleurs, ne croyez pas qu'ils sont moins dangereux que les autres espions. Au contraire, ils ont souvent beaucoup à perdre et sont parfois prêts à tout pour protéger leur secret.

Un bon tuyau. J'avoue que j'aurais eu tendance à prendre ce genre d'agent en pitié et le traiter avec compassion, ce qui pourrait être dangereux. À ne pas oublier. Madame McDowell continue son exposé.

— Il y a aussi un autre type d'agents, à part des autres. Ce sont les agents illégaux ou clandestins, qui travaillent sans aucun lien avec le gouvernement de leur pays et, parfois, pour leur propre profit ou par simple conviction. Souvent, ils vont travailler dans un pays étranger et se font passer pour des journalistes, des hommes d'affaires ou des membres d'une organisation non gouvernementale, comme une organisation humanitaire, par exemple. À l'inverse des agents légaux, comme nous qui travaillons pour le gouvernement et assumons officiellement une fonction subalterne au sein du service diplomatique d'une ambassade, ils n'ont pas vraiment de patrons et obéissent à leurs propres règles, ce qui les rend imprévisibles.

Eh bien, je ne savais pas qu'il existait autant d'espions différents. C'est plus complexe que je le croyais.

— Enfin, continue madame McDowell en chuchotant presque, il y a les espions les plus rares et les plus secrets des organisations. Les agents nettoyeurs, qui sont chargés de « nettoyer » les traces laissées à la suite d'une opération. Ils peuvent être amenés à maquiller ou camoufler des actions et même des personnes qui pourraient attirer l'attention de la police à l'étranger ou des médias, par exemple. Car il vaut généralement mieux que certaines missions demeurent secrètes pour le bien-être de la population, et c'est pourquoi ces agents existent. Dans de très rares occasions, ils peuvent avoir à éliminer des agents exposés ou des personnes très dangereuses, comme des criminels. Mais Dieu merci, c'est exceptionnel.

Le silence règne dans la classe. Un frisson me parcourt le dos, comme c'est sûrement le cas pour tous les autres élèves. Il y a quelque chose qui fait vaguement peur dans cette idée. Mais après tout, nous devons travailler dans le secret et je suppose que ce genre de chose est essentiel, non ?

— Finalement, explique madame McDowell, viennent les techniciens, qui gèrent notre structure du point de vue de l'informatique ou piratent même d'autres systèmes, et les analystes de données ou de filtrage, par exemple. Bref, vous avez le choix. Vous pouvez être un officier traitant ou contrôleur de sources ; ceux qui recrutent, entraînent et gèrent les sources. Ou encore, un agent d'infiltration, un agent double ou triple, un agent nettoyeur ou un technicien. Les agents clandestins n'étant pas formés par le gouvernement, vous n'appartenez pas à cette catégorie, mais vous pourriez avoir affaire à eux.

Je regarde les titres et les descriptifs au tableau et je m'interroge. Quel type d'espionne voudrais-je être ? J'avoue que j'aime bien être au cœur de l'action. Je ne suis pas certaine, contrairement à Kevin, de vouloir travailler dans un bureau à analyser des données. Cette idée semble d'ailleurs lui plaire, car il est tout sourire en écoutant la description de ce poste.

Je présume que j'ai encore du temps pour y penser.

Au même moment, mon cellulaire vibre. Un texto vient de m'être envoyé de la part de madame Albert, l'adjointe de monsieur Frost.

Code jaune.
Bureau de monsieur Frost à la sortie du cours.

Sûrement ce message a-t-il été envoyé à tous ceux qui étaient engagés dans la mission sur le plateau de tournage. On verra bien de quoi il est question dans peu de temps.

***

— Une nouvelle information vient d'entrer du SCRS, annonce Monsieur Frost. Il semblerait que notre agent, le « facteur », aurait tenté de recruter des collaborateurs des forces de l'ordre et des services secrets.

— Comment donc ? demande Guillaume, alors que tous ceux qui sont désignés pour la mission sur le plateau *Maïka* sont dans le bureau.

— Il a envoyé une série de messages à des agents du SCRS et à des fonctionnaires de la Défense nationale, leur promettant de grosses sommes d'argent en échange de services qu'il n'a pas daigné spécifier.

Hum... tenter de corrompre des employés du gouvernement, il ne lésine pas sur les moyens.

— Comment sait-on qu'il s'agit de notre agent ? demande Marilou. S'est-il identifié ?

— Non, mais les propositions ont été envoyées de l'ordinateur ayant servi à la tentative de piratage informatique survenue quelques semaines plus tôt.

— Décidément, celui-là s'imagine vraiment qu'il est impossible à attraper, commente monsieur Marsolais. Il prend de gros risques.

— Que devons-nous faire, alors? demande Béatrice.

— Les plans n'ont pas changé, vous commencerez à travailler sur le plateau de tournage dans une dizaine de jours, explique monsieur Frost. Tout va continuer comme prévu, mais il nous faudra redoubler de vigilance. Notre agent n'en restera sans doute pas là, il vient à peine de commencer sa mission. Maintenant, retournez à vos tâches et à vos cours et terminez vos préparatifs, vous partez bientôt!

Nous nous apprêtons tous à quitter le bureau de monsieur Frost, lorsque celui-ci m'interpelle.

— Mademoiselle Laforce?

— Oui, monsieur Frost?

— Content de voir que votre chevelure est revenue à son état normal, dit le directeur en souriant. Un peu plus et nous devions vous faire retirer de la prochaine assignation, ce qui aurait été bien malheureux, étant donné votre grand talent.

— Je vois. Merci, monsieur Frost.

Je savais bien qu'on cherchait à me nuire!

***

— Quoi?! Tu vas être figurante sur le plateau de tournage de *Maïka: une vie secrète et compliquée*? C'est pas juuuuuuuuuste! Comment tu as fait?

Je viens d'annoncer à Laurence la grande nouvelle sur Skype et, bien sûr, elle est renversée. Une chance, le collège et le SCRS nous ont déjà fourni des alibis et des renseignements pour expliquer notre situation à nos proches.

— Heu… c'est dans le cadre du cours d'art dramatique de mon école. On a obtenu une permission spéciale pour le programme et on a un accord avec la maison de production.

— Wow, chanceuse! Vraiment pas *fair*! Pourquoi c'est toujours toi qui as les trucs les plus cool?

Ouais… si on oublie qu'avec son mètre soixante et onze, ses cheveux blonds ornés de mèches roses et ses grands yeux bleus, Laurence a toujours attiré tous les regards, obtenu les rôles principaux dans les pièces de théâtre de l'école et reçu la majorité des votes lors des élections scolaires. En plus de faire partie des comités du défilé de mode, du journal étudiant et du club de musique. Elle a de bonnes chances d'être nommée reine du bal de fin d'année et, si l'école avait une équipe de football comme aux États-Unis, elle serait certainement la meneuse des *cheerleaders*. Bref, Laurence dramatise un brin et a la mémoire un peu courte, parfois.

— Tu ne pourrais pas faire quelque chose pour moi ? demande-t-elle. Comme m'obtenir un stage de coiffure sur le plateau, peut-être ?

Chère Laurence. Toujours prête à tout, comme d'habitude. Rien ne l'arrête. Considérant qu'en plus, elle veut ouvrir son salon de coiffure plus tard et qu'elle pourrait exécuter plusieurs tâches presque aussi bien qu'un pro, elle rivaliserait sûrement avec les coiffeuses de l'émission.

— Heu... je vais voir ce que je peux faire, mais je ne peux rien promettre, tu sais.

— Au pire, je peux même faire cela gratuitement ! Je veux y aller, moi aussi ! Ce serait trop chouette ! En plus, *Maïka*, c'est mon émission préférée ! Et je pourrais voir Jean-Philippe Langlois ! Peut-être même le toucher ! Il est tellement *cute* !

— D'accord, d'accord. Je vais essayer.

— En plus, si tu viens régulièrement à Montréal pour ça, on va se voir bien plus souvent.

— Justement, c'est surtout pour ça que je voulais t'annoncer la bonne nouvelle. En plus, j'ai réussi mon examen pour mon permis de conduire hier !

— Wow, génial, tout ça ! Alors dès qu'on peut, on se donne rendez-vous ?

— Oui, c'est promis.

— Ça va être super, j'en suis certaine.

Oui, super. Je pars dans une nouvelle mission, je vais côtoyer les comédiens de mon émission favorite et je vais voir Laurence plus souvent. Que demander de plus ?

CHAPITRE 3
Les difficultés se pointent

Code vert.
Bureau de Vincent Larochelle.

Encore un texto de madame Albert! Ça, alors! Et dire que la mission n'est même pas tout à fait commencée! Plus que cinq jours avant d'aller sur le plateau de tournage. Ça bouge pas mal et il y a des rebondissements presque tous les jours. De plus, un code vert est une urgence assez importante pour qu'on doive tout lâcher et même manquer nos cours, si nécessaire. On n'a qu'à invoquer le code vert auprès de notre enseignant et il ne pose même pas de questions. Évidemment, pas question d'utiliser cela comme prétexte, car nos profs sont toujours informés par monsieur Frost. D'ailleurs, c'est probablement l'une des seules écoles où l'on exige que les élèves portent leur cellulaire en permanence, pour être joints vingt-quatre heures sur vingt-quatre.

Heureux hasard, c'est l'heure du dîner. Je m'excuse donc auprès de Megan, une élève anglophone sympathique, qui a le malheur de partager la chambre de Béatrice, et de Kevin, avec lesquels je mangeais et discutais, et me dirige vers le bureau de Vincent, attenant à son appartement, au deuxième étage. Je termine mon sandwich en quelques bouchées tout en montant les escaliers.

Je me demande pourquoi ils ont convoqué tout le monde au bureau de Vincent, cette fois, et non chez monsieur Frost. Étrange. J'arrive au bureau et approche à pas feutrés. La porte est ouverte. Vincent est assis sur sa chaise, face à la fenêtre, en train de feuilleter un dossier et me tourne le dos. Alors que je m'apprête à frapper sur le cadre de la porte pour le prévenir de ma présence, il m'interrompt dans mon mouvement.

— Entrez, mademoiselle Laforce.

Ben dis donc, comment a-t-il fait? Il a des yeux derrière la tête?

— On vous a prévenu que j'arrivais ou vous avez simplement deviné que c'était moi?

— Non, on ne m'a pas annoncé votre venue et je n'ai pas deviné, répond-il sans même lever les yeux de son dossier ou se tourner vers moi. Je n'ai pas besoin de deviner. Je vous ai reconnue à votre parfum, c'est tout. On le sent à des kilomètres à la ronde.

Alors là, je suis bouche bée. Il est capable de faire ça, même à l'autre bout de la pièce? Va-t-il me reprocher aussi d'avoir un parfum pas assez discret, tant qu'à y être ? Il n'a pas juste des tympans bioniques, mais un nez bionique. Reconnaît-il l'odeur de chaque personne dans le collège ? Si c'est ça, il est tout simplement incroyable. Peut-être qu'au fond, Vincent n'est pas un humain, mais un robot. Ce qui expliquerait bien des choses à son sujet, en réalité.

— Alors, savez-vous pourquoi tout le monde de la mission est convoqué à votre bureau, cette fois ?

Vincent se retourne vers moi et referme son dossier.

— Il n'y aura personne d'autre, c'est une réunion entre vous et moi, répond-il. Monsieur Marsolais et moi avons reçu de nouvelles consignes du SCRS et monsieur Frost nous a dit qu'il nous affecterait à chacun un élève pour nous assister. On ne nous avait juste pas dit de qui il s'agissait. Donc, il semblerait que nous ayons un travail à faire ensemble, vous et moi.

Vincent et moi, travailler ensemble, seul à seul ? Beuh. Pourquoi n'ai-je pas plutôt été affectée à Monsieur Marsolais ? J'ignore qui aura cette chance, mais je sais déjà que j'envie cette personne. Savoir qu'en plus d'être un glaçon sur deux pattes, Vincent ne m'a jamais fait confiance depuis mon entrée au collège, ça n'aide pas la situation.

Lors de ma dernière mission, j'avais surpris une conversation entre lui et monsieur Marsolais ;

Vincent émettait beaucoup de doutes sur ma capacité à faire le travail, et me traitait d'impulsive et d'imprudente. Évidemment, il ignore que j'ai entendu tout cela. Et maintenant, nous avons une mission en duo. Belle ambiance. Je me retiens de soupirer de déception avant de m'enquérir des détails de la tâche.

— Alors, quelle est notre mission ?

— Refermez la porte et asseyez-vous, me dit Vincent en me pointant un siège devant son bureau.

Ah oui... ne pas oublier le protocole pour éviter les oreilles indiscrètes. Après avoir refermé le battant, j'ai l'impression d'être dans l'antre froid d'un grizzly. Il faut dire que le bureau de Vincent est plutôt austère, occupé uniquement par son pupitre, des classeurs, des bibliothèques et des tables, sur lesquelles reposent des piles de livres, des dossiers et de nombreux appareils électroniques et de surveillance. Aucune décoration pour égayer les lieux, même pas une petite plante verte pour simuler un peu de vie. Je parie que Vincent veut éviter toute distraction lorsqu'il travaille. Je m'assois sur la chaise, en me tenant le plus éloignée possible de lui et de son bureau.

— Le SCRS a décidé de tendre un piège au « facteur », explique Vincent. Pour cela, un des agents des services secrets qu'il a tenté de corrompre a été mis à contribution. Il a feint d'accepter la proposition de l'espion et doit le rencontrer dans deux jours. Il servira d'appât, en quelque sorte. Nous devons nous tenir dans les environs pour tenter d'amasser des renseignements à son sujet ou, mieux encore, le capturer.

— Les gens du SCRS ne savent pas encore s'ils désirent le capturer?

— Parfois, il vaut mieux laisser un espion en place un certain temps, lui donner de faux renseignements et le pister pour qu'il puisse nous mener à ses supérieurs ou à ses clients, s'il s'agit d'un clandestin. Si nous le capturons trop tôt, nous pourrions perdre la piste des gens placés plus haut. Si c'est le cas, ces derniers pourront encore agir en toute impunité et simplement «éveiller» un autre agent, qui prendra le relais et poursuivra la mission. À ce moment-là, nous ne serons pas plus avancés et il faudra sans doute tout recommencer.

— Je vois. Et que devons-nous faire?

— Dans deux jours, notre employé des services secrets doit rencontrer le «facteur» dans un stationnement du marché public By, à Ottawa. Nous devrons nous tenir pas très loin, les filmer et enregistrer leur conversation. Peut-être arriverons-nous à en apprendre plus sur notre homme de cette manière.

Ah... quand même. De la filature, ça ne peut pas être si mal. Et même si je dois faire cela seule avec Vincent, je suppose que ce n'est pas si terrible.

— Vous et moi devrons nous tenir dans un véhicule posté à l'ouest du lieu de rendez-vous, continue Vincent. Monsieur Marsolais et son adjoint seront dans un édifice non loin de là, à l'est du marché, question de bien couvrir les lieux.

Ça fait définitivement changement de la routine, en tout cas. Finalement, peut-être que ça va être chouette.

***

Deux jours plus tard, à vingt et une heures, Vincent et moi sommes assis dans une voiture, stationnée non loin du marché By. Ouais, en fin de compte, c'est encore loin d'être passionnant. Il ne s'est rien passé pour le moment et nous attendons toujours que notre cible se pointe. L'agent des services secrets qui participe à la mise en scène, dont nous ignorons le nom pour des questions de sécurité et qui est désigné comme « l'appât », fait les cent pas dans le stationnement en attendant lui aussi. Je ne soupçonnais pas que certaines tâches pouvaient être ennuyeuses à ce point et exiger autant de patience.

Par souci de concentration et de discrétion, pas question de commencer à discuter entre nous pour passer le temps. Non, il faut être très concentrés et attentifs à ce qui se passe autour de nous, rester aux aguets. Après tout, on ne sait jamais ce qui peut nous attendre. D'autres espions pourraient nous repérer, par exemple. Une mission banale en apparence peut changer d'objectif en cours de route et se transformer en poursuite endiablée ou même en fusillade improvisée à l'occasion. Il faut donc être constamment vigilant.

De toute manière, ce n'est sûrement pas avec Vincent, «le glaçon ténébreux», comme l'a surnommé Marilou, que je risque d'avoir une discussion passionnante. Non seulement il ne doit pas savoir comment exprimer des émotions ou des pensées autres que celles liées à son travail mais, en plus, il trouverait cela futile et non productif pour la mission.

Alors en ce moment, je suis équipée d'un amplificateur de son qui permet d'écouter une conversation à près de 300 mètres de distance. Il faut être très prudent avec ce genre d'engin, cependant, sinon, on peut attraper toutes sortes d'entretiens privés de personnes que nous ne devrions pas espionner. Cela est non seulement illégal, mais aussi un peu gênant. J'ai même entendu accidentellement quelqu'un se brosser les dents et se passer la soie dentaire. Pas très ragoûtant.

L'outil est aussi très sensible, et si un bruit un peu fort, comme celui d'une voiture, passe dans le champ du micro, ça peut faire terriblement mal aux oreilles. Orienter adéquatement l'antenne en forme de cône – pas très discrète, d'ailleurs – est primordial. Il est donc nécessaire de se cacher lorsqu'on utilise cet appareil.

Bref, à manipuler avec beaucoup de précaution et de discrétion. Un amateur n'aurait pas beaucoup de succès avec ce truc.

Vincent, quant à lui, utilise un genre de caméra à infrarouge pour tenter de filmer la conversation de loin. Monsieur Marsolais et Béatrice – c'est elle qui a été choisie pour travailler avec lui, la chanceuse! – se trouvent dans un local désaffecté et à louer, situé au deuxième étage d'un bâtiment tout près.

Après une trentaine de minutes d'attente plutôt ennuyeuses, notre espion se pointe enfin! Cela dit, ce n'est pas facile à savoir, car on devine vaguement une silhouette dans un coin obscur, derrière un grand conteneur à déchets. On ne voit pratiquement rien d'autre qu'une ombre sur le mur.

L'agent des services secrets s'en approche quelque peu. Je devine qu'il essaie d'attirer l'autre dans un endroit plus éclairé, mais ce dernier ne bouge pas. Il a prévu son coup. Peut-être même soupçonne-t-il notre présence? Bref, pas moyen de l'amener à se déplacer dans un lieu où il serait plus visible. Vincent essaie de le filmer avec sa caméra à infrarouge, mais je vois qu'il a beaucoup de difficulté à capter quoi que ce soit de significatif.

Je tente d'orienter l'antenne de mon amplificateur de son dans sa direction, mais, avec le conteneur à déchets, ce n'est pas évident. Je ne comprends pas, je ne capte presque rien à part des grésillements. Pourtant, même avec un obstacle comme un mur, par exemple, je devrais pouvoir entendre quelque chose. Je tente d'en avertir Vincent en murmurant.

— Ça ne marche pas, il n'y a pratiquement que de la friture.

Vincent me regarde, exaspéré. Il dépose sa caméra, prend l'antenne et mes écouteurs et essaie à son tour de saisir quelque chose. Sans succès. Et s'il y avait un moyen de capter quoi que ce soit, Vincent y arriverait, c'est sûr. Il n'y a presque rien à son épreuve.

— Un brouilleur d'ondes, marmonne-t-il entre ses dents. Il nous bloque avec ça.

Il prend son téléphone portable et envoie un texto, sans doute à monsieur Marsolais. Étonnamment, le brouilleur d'ondes ne semble pas faire effet sur le réseau 4G du téléphone. Une minute plus tard, ce dernier lui répond.

— Monsieur Marsolais n'arrive à rien lui non plus, dit Vincent. Notre homme s'est mis dans une position où il est impossible de le filmer et de l'enregistrer.

Vincent soupire bruyamment et serre les lèvres. Même s'il est plutôt inexpressif en général, je devine qu'il est vraiment furieux et essaie de se calmer. Connaissant sa faible tolérance à l'échec, ça ne m'étonne pas vraiment. Je parie qu'il fulmine et que, si c'était possible, la fumée lui sortirait par les oreilles ou les narines. Je suis juste heureuse qu'il ne soit pas en colère contre moi, pour une fois.

— Que fait-on alors? Devrait-on quitter les lieux?

— Non, répond Vincent. Cela pourrait attirer l'attention de notre espion. Il vaut mieux ne rien faire. Nous allons attendre, tout simplement.

Soudain, Vincent sursaute de surprise sur son siège.

— Attention, dit-il, l'espion a quitté son poste et vient tout droit par ici!

Quoi? Il se dirige vers nous? Nous a-t-il repérés? À travers la vitre de l'auto, j'aperçois, au loin, la silhouette de notre espion en route.

— Baissez votre siège vers l'arrière et cachez-vous, ordonne Vincent.

J'obéis à ses ordres rapidement, sans discuter. J'incline mon dossier, me couchant quasiment sur mon siège, en retenant mon souffle. Vincent m'imite. Espérons que l'obscurité sera suffisante pour que nous passions inaperçus. J'entends le bruit des pas de notre homme tout près de nous, frôlant presque le côté conducteur où se trouve Vincent. J'aperçois une ombre par les vitres de la voiture.

Qu'arrivera-t-il si notre espion est armé ? Je jette un œil du côté de Vincent. Je remarque alors qu'il tient un pistolet, un Walter PPK, dans sa main. Clairement, il a déjà songé à cette éventualité, lui aussi. Mon cœur bat à tout rompre et j'ai envie de fermer les yeux, mais je résiste. Toujours garder l'œil ouvert pour éviter d'être surpris, comme on me l'a enseigné.

Je relève légèrement la tête. Vincent, qui a sans doute perçu mon mouvement du coin de l'œil, pose fermement son bras sur moi pour m'empêcher de bouger. Sa main sur mon avant-bras me pétrifie complètement. Brrr… son contact me glace le sang.

Après quelques instants, notre cible s'est éloignée, on ne sait même pas où, et notre appât est parti lui aussi vers un autre lieu de rendez-vous que nous avons déjà fixé avec lui. J'ai eu chaud. Aussitôt, Vincent retire sa main, remonte son siège, démarre le moteur de la voiture et nous partons en direction de la rencontre. Monsieur Marsolais et Béatrice vont certainement nous y rejoindre très bientôt.

Peu de temps après, nous nous retrouvons tous les cinq à une table, dans un *fast food*, non loin de là, ouvert vingt-quatre heures sur vingt-quatre. Nous avons même commandé de la nourriture, afin de passer inaperçus et de rendre notre couverture plus crédible. Avaler un morceau n'est pas de refus, ce travail m'a affamée. Je suis impatiente de savoir ce qui s'est passé et, surtout, pourquoi ça a si mal fonctionné.

— Qu'est-il arrivé, au juste?

— La couleur de tes cheveux ou de ta peau qui a interféré avec les signaux, peut-être? se moque Béatrice. Encore beau que ça ne l'ait pas fait fuir carrément.

Grrr... ce qu'elle peut être agaçante, celle-là! Même si j'ai réglé mon problème de cheveux il y a plusieurs jours, il faut qu'elle se moque encore de moi en remettant ça sur le tapis.

— Notre homme a utilisé un brouilleur d'ondes pour contrer l'amplificateur de son, explique monsieur Marsolais. Il se doutait probablement qu'il serait épié, et il s'est méfié. Il était bien préparé, en tout cas. Ce n'est pas un amateur, loin de là.

— Je n'ai pas eu beaucoup plus de chance, ajoute l'agent des services secrets. Notre espion s'est tenu dans l'ombre tout le temps; il avait des vêtements amples et un chapeau lui cachait le visage en plus. Qui plus est, il a utilisé un appareil qui modifie la voix. Pas moyen de savoir de qui il s'agit ni même à quoi il peut bien ressembler physiquement.

— Alors, quoi? s'exclame Béatrice. Nous n'avons aucun renseignement à son sujet?

— C'est à peu près ça, répond Vincent en croisant les bras, frustré.

— Nous n'avons pas eu de chance cette fois, ajoute monsieur Marsolais, mais ne vous en faites pas, nous finirons par mettre la main sur ce type. Il est rare que nous attrapions nos cibles du premier coup et notre travail demande de la patience. De toute manière, monsieur Legendre, notre agent-appât, va continuer d'avoir des contacts avec notre homme, de lui donner de faux renseignements, et nous allons en obtenir davantage avec le temps. Je vais faire un rapport à monsieur Frost et au SCRS. Dans quelques jours, nous poursuivrons notre mission sur le plateau de tournage comme prévu, tout simplement. Pas d'inquiétude, nous mettrons la main au collet de notre homme, tôt ou tard. Maintenant, il est l'heure de rentrer pour tous.

Sans aucune autre parole, nous quittons le restaurant et retournons tous à la maison, un peu penauds. Peut-être que la prochaine fois sera la bonne?

***

Notre première journée de mission commence officiellement demain! Nous allons donc partir pour Montréal dès ce soir. Je vais même dormir chez mes parents! Ça fait si longtemps que je n'ai pas passé une nuit dans mon propre lit, dans ma chambre, avec ma chatte Mistigris pelotonnée à mes pieds. C'est vraiment un bonus très intéressant à la mission. Laurence aurait aimé m'accompagner demain, mais elle ne peut se permettre de manquer ses cours pour cela.

Il me semble que l'attente est interminable. Est-ce que la plupart des missions mettent autant de temps à démarrer ? C'était moins long la dernière fois.

En attendant, nos cours sur les diverses méthodes pour pirater les différents téléphones cellulaires – autant pour récupérer les données de la carte SIM que pour transformer n'importe quel téléphone en appareil d'écoute permanent et ainsi espionner son propriétaire quand on le désire – nous tiennent bien occupés. Une chance.

Apprendre par cœur le fonctionnement de chaque téléphone sur le marché, ce n'est pas de la tarte. Je ne croyais pas qu'il y en avait autant. Bientôt, nous allons aussi apprendre comment installer des logiciels permettant d'espionner presque tout ce qui se passe dans un ordinateur. Étonnant, ce que la technologie peut nous permettre de faire avec relativement peu de risques. Et pratique, considérant le travail que nous aurons à faire bientôt.

De plus, nous avons aujourd'hui une évaluation de combat libre – où l'on peut utiliser toutes les connaissances que l'on nous a enseignées sur tous les arts martiaux. Voilà qui va me permettre de me dégourdir les jambes un peu et m'empêcher de grimper dans les rideaux.

Nous sommes un petit groupe dans le gymnase, dans le coin réservé aux simulations de combat, plus précisément. Sur un ring entouré de cordes, les élèves, choisis par tirage au sort, s'affrontent en duo quelques minutes, jusqu'à ce que l'enseignante décide d'y mettre fin. Madame Duval observe les batailles, tandis que Vincent fait l'arbitre. Elle prend des notes, relevant un coup de pied bien contrôlé ici, un coup de poing manqué là, une belle prise.

Parfois, elle et Vincent se consultent à voix basse pour prendre une décision.

Anxieuse à l'extrême, je trépigne en observant les autres élèves. Guillaume s'est bien défendu contre un gars qui fait près d'un mètre quatre-vingts et dont la force doit sans doute égaler celle de Vincent – ce qui n'est pas peu dire. Mon copain est l'un des plus doués de la classe en arts martiaux et je dois dire que j'en suis fière.

Marilou a bien combattu aussi contre une autre fille, brillante mais minuscule. Disons que Marilou l'a eue facile, même si elle n'est pas beaucoup plus imposante physiquement.

Lorsque cette dernière a enfin terminé son combat, madame Duval commence à piger les noms de prochains élèves.

— C'est au tour de... Ariel Laforce et... Béatrice Thompson !

Non ! Pas croyable ! De toutes les filles disponibles pour se battre avec moi, madame Duval a pigé Béatrice ! Oui, bon, c'est vrai qu'en première année, nous ne sommes qu'une cinquantaine d'élèves environ, que là-dessus, la moitié est composée des filles et que nous sommes dans le même sous-groupe. Les chances de tomber sur elle étaient somme toute élevées.

Je ne sais pas si je dois me réjouir de pouvoir pratiquer des coups de poing et des prises sur Béatrice en toute impunité ou si je dois me hérisser d'avoir encore affaire à elle et de subir ses coups, reconnus pour être parfois très vicieux. Béatrice est un peu plus grande et plus forte que moi, elle est une adversaire non négligeable.

Je grimpe sur le ring. Mes poings sont déjà bandés pour les protéger et mes cheveux attachés. Béatrice et moi, nous nous regardons en chiens de faïence, en sautillant sur place, pour nous échauffer. Je pense à ce que je pourrais bien lui faire, aux techniques que j'ai apprises et que je maîtrise bien, pour gagner le combat.

— Tout le monde est prêt ? demande Vincent, debout entre nous deux et le bras tendu à l'horizontale.

Béatrice, madame Duval et moi acquiesçons.

— Allez-y! dit Vincent en reculant.

Je commence à tourner vers la gauche, les poings relevés devant mon visage. Béatrice en fait autant. Nous sautillons toutes les deux, évaluant les points faibles de l'autre. Je sais que Béatrice est plus vulnérable du côté gauche à cause de sa garde qui fait défaut, mais ses jambes sont longues et fortes. Ses coups de pied sont puissants et ratent rarement leur cible. Quant à moi, je suis très rapide et mobile.

Béatrice lance son poing droit dans ma direction en poussant un cri pour me déstabiliser. Je l'évite de justesse en me tassant sur ma droite. Mais aussitôt, elle poursuit avec un coup de pied direct de sa jambe gauche. Elle m'accroche la hanche gauche, ce qui me déséquilibre en me poussant vers l'arrière. Aïe! Ça fait drôlement mal. J'encaisse le coup.

Sans attendre, j'en profite pour contre-attaquer en lui assénant un coup de poing au menton, qu'elle ne voit pas venir. Béatrice recule, déstabilisée et étourdie.

— Aïe! crie-t-elle. Attention, tu vas me faire un bleu au visage!

— As-tu peur que je t'empêche d'aller au tournage pour la mission? murmuré-je, sarcastique. Comme tu as tenté de faire avec moi?

Béatrice plisse des yeux et grogne, furieuse. Vincent fronce les sourcils.

— Mademoiselle Laforce, on ne mentionne pas cela ici! Pas de détails sur la mission devant les autres, bon sang!

Bon, il a raison, je me suis laissée emporter. Mais c'est plus fort que moi, je n'ai pas pu m'en empêcher. Et je ne l'ai pas dit à voix très haute, tout de même.

— Continuez le combat, mais je vous avertis, contrôlez-vous, avertit Vincent. Allez-y!

Aussitôt, Béatrice se lance sur moi en poussant un hurlement. Elle m'assène un crochet en plein sur l'œil gauche, que ne je parviens pas à bloquer. Mon œil me fait terriblement souffrir et ma tête vibre. Je tournoie sur moi-même. Béatrice en profite pour m'attraper le bras droit et me le tord dans le dos tout en m'étranglant de l'autre bras, pour tenter de me faire une prise et de m'immobiliser.

— Pas besoin de teinture à cheveux pour t'empêcher de participer à la mission, chuchote-t-elle à mon oreille. Un œil au beurre noir fera sûrement l'affaire.

Je le savais! J'étais sûre qu'elle voulait me nuire! Je parie qu'elle est jalouse du fait que j'aie une mission de plus qu'elle à mon actif. Elle serait trop heureuse de se classer devant moi et que je fasse partie des élèves éliminés au prochain test. Je prends mon élan et lui donne un bon coup de coude dans l'estomac! Béatrice pousse un cri de douleur en se tenant le ventre. Je parviens à me libérer et lui donne un coup de pied circulaire vers l'arrière en visant sa tête. Mon talon l'atteint de plein fouet sur la bouche et fend sa lèvre! Oups, peut-être suis-je allée un peu trop loin.

Vincent, qui voit le combat commencer à dégénérer, arrête tout.

— Mademoiselle Laforce, me gronde-t-il, un peu de contrôle, voyons! Vous n'êtes pas là pour vous entretuer. Mademoiselle Thompson, désirez-vous arrêter? Avez-vous besoin de quelque chose?

Béatrice titube, recule et porte la main à son visage. Lorsqu'elle voit le sang sur ses doigts et comprend ce que je lui ai fait, elle vire au cramoisi. Ses yeux semblent vouloir sortir de leur orbite et elle serre les poings.

— Tu l'as fait exprès! crie-t-elle. Tu vas me le payer, Ariel Laforce!

Elle se tourne vers Vincent, en furie.

— Pas question d'arrêter, je ne la laisserai pas gagner comme ça!

Avant même que Vincent, sûrement très perplexe en ce moment, ne redonne le signal, Béatrice s'est déjà lancée vers moi. Je l'évite en me jetant sur le côté. Mais elle parvient à attraper ma queue de cheval et me tire vers l'arrière!

— Aïïïïe!! Mes cheveux! Lâche-moi!

— Mademoiselle Thompson, que faites-vous là!? crie madame Duval, décontenancée.

Béatrice essaie de me faire une nouvelle prise en arquant le dos vers l'arrière, me soulevant du sol. Je secoue les jambes dans les airs pour me défaire de son emprise. Puis, je me donne un élan vers l'avant et je la fais littéralement basculer par-dessus moi... en plein dans les cordes du ring! Mais elle parvient à rouler vers l'avant et tombe sur le dos.

Aussitôt, elle se relève et se précipite vers moi. Je l'attends de pied ferme, prête à me pousser au besoin et l'accueillir avec un crochet droit en même temps. Béatrice lance un *uppercut*[6] et... frappe Vincent de plein fouet, alors qu'il vient de s'interposer entre nous deux! En fait, c'est plutôt lui qui a arrêté son coup avec sa main!

Tout le monde reste stupéfait et muet pendant quelques secondes. Les autres élèves et madame Duval nous fixent, bouche bée. Béatrice, pétrifiée, probablement d'horreur, a aussi la bouche et les yeux grands ouverts. Elle a presque frappé un enseignant au visage!

Mais Vincent a tout juste reculé d'un demi-pas, à la suite du coup de Béatrice. C'est à peine s'il a bronché. Il doit sûrement être fait en bois, car Béatrice y avait mis toute sa force et son élan. Une chance pour elle que Vincent a d'excellents réflexes,

---

6   Coup de poing remontant.

car elle aurait sérieusement sonné quelqu'un d'autre avec un pareil coup au visage !

— Mademoiselle Thompson, mademoiselle Laforce, ça suffit ! crie madame Duval. Vous avez perdu la tête ou quoi ?

Aussitôt, Vincent saisit mon bras ainsi que celui de Béatrice de sa poigne de fer. Un peu plus et il nous lèverait de terre.

— Aïe, lâchez-moi ! s'exclame Béatrice.

— Allez-vous asseoir dans le coin, là-bas ! rétorque Vincent. Après le cours, ce sera dans le bureau du directeur, toutes les deux. Nous allons avoir une bonne conversation et je m'attends à des éclaircissements de votre part pour expliquer votre comportement.

Je crois que Béatrice et moi, on s'est foutues dans le pétrin.

***

Et zut. C'est la deuxième fois que je me retrouve dans le bureau du directeur en moins d'un an. La première fois, c'était quand j'avais tenté de dérober Norm, l'espadon empaillé ornant la salle commune des résidences et que ça avait fini en pagaille quand il était tombé par terre, causant de terribles dégâts. Depuis, j'ai réussi à me tenir tranquille, à me faire discrète et à améliorer ma situation. Enfin, jusqu'à présent.

Je me sens vraiment stupide d'avoir tout gâché, et tout ça à cause d'une dispute avec cette peste de Béatrice, en plus. J'ai agi comme une enfant. Peut-être Vincent a-t-il raison, au fond, et que je suis trop impulsive? Peut-être que je n'ai pas ce qu'il faut pour faire ce travail?

Une partie de moi se réjouit que Béatrice soit en aussi mauvaise posture que moi, mais ça ne m'aidera pas beaucoup, je le crains. Car au fond, elle a eu un comportement aussi répréhensible que le mien.

Nous sommes assises toutes les deux sur des chaises en face du bureau de monsieur Frost, en attendant ce dernier. Moi, avec un sac de glace sur mon œil qui commence à changer de couleur, et Béatrice, un sac de glace sur sa lèvre fendue. Vincent se tient derrière nous, les bras croisés, comme s'il voulait nous empêcher de fuir.

Monsieur Frost entre enfin dans le bureau après quelques minutes agonisantes. Il s'assoit sur sa chaise et croise les bras sur son bureau.

— Eh bien? J'attends des explications.

Béatrice et moi, nous nous jetons un œil en biais. Pas besoin d'entrer dans les détails, non? Ce qui compte, c'est sauver notre peau. Je réponds, car je crois que Béatrice aura de la difficulté à s'exprimer avec sa lèvre blessée.

— Une simple dispute entre nous qui a un peu dégénéré, monsieur Frost. Rien d'extraordinaire, vraiment.

— Ah oui? dit-il, sceptique.

— *Vuste* une *p'tite ficane…* articule Béatrice avec peine. *Fans* importance.

Un silence inconfortable plane dans le bureau, alors que monsieur Frost nous observe, ses yeux de faucon passant de moi à Béatrice.

— Ça n'aurait pas un rapport avec la teinture mauve que mademoiselle Thompson est parvenue à mettre sur les cheveux de mademoiselle Laforce, par le plus grand des hasards? répond Vincent de son coin.

Béatrice et moi le regardons, déconcertées. Comment a-t-il su?

— Vous croyez vraiment que dans un lieu comme ici, avec des espions comme enseignants, ce genre de choses passe inaperçu? enchaîne-t-il. J'ai entendu ce que mademoiselle Thompson a chuchoté à l'oreille de mademoiselle Laforce tout à l'heure, sans compter ses commentaires peu subtils des derniers jours. Et je sais faire des liens, vous savez, je suis un agent entraîné, professionnel et expérimenté. J'en ai vu d'autres.

Hum… il a raison. J'ai tendance à oublier que nos professeurs sont formés pour être des super observateurs et qu'ils peuvent discerner beaucoup de choses. Béatrice a dû sous-estimer elle aussi leur capacité à relever des détails apparemment anodins, à évaluer les comportements humains et à tirer des conclusions souvent très justes.

— Est-ce exact ? demande monsieur Frost, même si on se doute qu'il connaît la réponse.

— Oui, admet Béatrice.

— On fera attention à l'avenir, on ne laissera plus nos différends personnels affecter notre vie scolaire, c'est promis, plaidé-je. On a bien retenu la leçon, croyez-moi.

— Estimez-vous chanceuses de ne pas être retirées de la prochaine mission et, surtout, de ne pas être expulsées de l'école, dit monsieur Frost. Vous êtes de bonnes élèves toutes les deux et je veux vous laisser une autre chance. Des mauvais tours entre vous, c'est une chose. Mais que cela dégénère dans les cours à ce point, vous pousse à vous blesser mutuellement et risque de nuire à votre prochaine mission, c'est inacceptable. Si vous désirez avoir un avenir dans l'espionnage, mesdemoiselles, apprenez à gérer vos émotions. Si l'on vous reprend à faire ce genre de bêtises ou mettre la mission en danger à cause de vos différends, les conséquences seront graves. Maintenant, allez à l'infirmerie vous faire soigner. Espérons que vous serez en état de participer au tournage. Dans quelques heures, vous partez à Montréal avec les autres membres de la mission. Mais dès votre retour, vous aurez droit à trois jours de retenue toutes les deux.

Eh bien, je suis étonnée. Je m'attendais à pire. Je m'en tire encore à bon compte. Les mots de notre directeur me touchent quand même durement. Il a raison, nous avons été vraiment bêtes. En tout cas, monsieur Frost doit réellement nous trouver exceptionnelles, pour être si clément à notre égard. Je remercie le ciel qu'il soit aussi indulgent, comme directeur, et que mon talent soit si important à ses yeux.

***

Vincent, Guillaume, Béatrice, Marilou, monsieur Marsolais et moi sommes partis pour Montréal en minifourgonnette. Le soir, à destination, j'ai retrouvé ma maison et ma chambre avec grand plaisir. Revoir ma chatte Mistigris, ma collection d'objets insolites rapportés par ma mère lors de ses voyages dans le monde et mes affiches de *The Avengers*, de Taylor Swift et de *Tron* – le nouveau film, pas l'ancien – m'a remonté le moral.

Et surtout, pouvoir me réfugier dans les bras de ma mère – je ne fais plus ça très souvent, je commence à être un peu vieille pour ça, mais, à l'occasion, quand j'ai le cœur vraiment gros et que j'en ai vraiment besoin – ça me fait un bien immense. Bon, mes parents m'ont un peu chicanée à cause de mon comportement, mais quand ils ont vu à quel point je me sentais mal, ils n'ont pas trop insisté.

Et puis, maman a le don de me redonner le sourire. La seule personne qui y parvienne aussi bien qu'elle est Guillaume. D'ailleurs, lui et Marilou habitent dans une résidence spéciale du SCRS lorsqu'ils viennent à Montréal pour la mission, puisqu'ils n'auraient nulle part où dormir, leur famille étant trop loin.

Même Laurence m'a rendu une visite rapide, bien que je sois arrivée plutôt tard à la maison. Elle ne pouvait manquer cela, bien sûr.

— As-tu trouvé un moyen de me faire entrer sur le plateau de *Maïka* ? me demande-t-elle.

Oups, j'avais complètement oublié. Il faut dire que je ne suis pas pressée d'accéder à sa demande, car, bien que j'adore Laurence, j'aurais du mal à mener ma mission à bien si elle était dans les parages.

— Heu… je n'ai pas eu de réponse encore. Je vais essayer de parler aux producteurs demain, si je peux.

— Super ! J'adorerais aller voir le plateau… et le beau Jean-Philippe Langlois. T'es vraiment fine de faire ça pour moi.

Ouais, je me sens un peu mal de ne rien faire et de lui mentir. Pourrais-je trouver le moyen de lui faire visiter les lieux juste une journée? Et après cela, je serais tranquille. C'est compliqué, tout ça.

— As-tu commencé à penser à ta robe pour le bal des finissants? dis-je, pour changer de sujet.

— Oh oui! J'avais d'abord songé à une robe en velours bleu marine, mais, finalement, je crois que j'opterai pour du rouge, mais je me demande...

Et elle continue sur sa lancée. Tout va bien, elle pense déjà à autre chose. Ouais, un nouveau jour commence demain. Tout ira mieux.

CHAPITRE 4
On tourne !

Wow... être sur un plateau de tournage est à la fois excitant et stressant. Il y a des tas de fils partout, des techniciens, des éclairagistes, des caméramen, des perchistes, et j'en passe. Je ne me doutais pas qu'effectuer des tournages pouvait être aussi complexe.

Nous nous sommes levés vers cinq heures, ce matin, pour arriver à sept heures sur les lieux. Papa m'a même emmenée en voiture jusque-là. J'aurais bien pu y aller par moi-même – j'ai failli insister pour le faire, d'ailleurs, car je me faisais une joie de conduire enfin toute seule – mais mon père y tenait. Et puisque je vois si peu mes parents depuis mon entrée au collège, je lui dois bien ce plaisir. Sur place, il m'a souhaité bonne chance. Bien que je ne puisse rien lui dévoiler de cette mission, il sait très bien que je ne vais pas là simplement pour faire de la figuration, mais que je travaille pour le SCRS.

Sur place, même si les autres élèves et moi ne sommes que figurants, nous devons passer par les costumières, les coiffeuses et les maquilleuses. Une chance, car mon œil gauche a une teinte moche, sans compter que ma peau a encore un peu des tons mauves vaguement martiens sur les bords.

Les maquilleuses ont eu du mal à camoufler la lèvre légèrement enflée et rougeâtre de Béatrice. Au point où il y a eu une discussion avec le metteur en scène, à savoir si elle n'allait pas carrément être écartée du tournage pour la journée.

Je me retiens de sourire de satisfaction, car je ne voudrais pas provoquer une autre bagarre avec Béatrice. Mais j'avoue que, malgré la punition qui m'attend au collège, je ressens un peu de joie à l'idée de lui avoir renvoyé la monnaie de sa pièce, même si j'y suis allée un peu fort.

Finalement, ils ont décidé de garder Béatrice, mais elle tournera le dos à la caméra. Elle ne semblait pas très heureuse de cette situation, mais a dû s'y plier.

En tout cas, j'ignorais que les tournages pouvaient être aussi longs et compliqués. Les essais de son, les tests de lumière avec les doublures des comédiens, ça prend un temps fou. Tout ça, en plus du maquillage, des coiffures et des costumes, a pris plusieurs heures. Je tente de filmer tout ce qui se passe autour de manière discrète avec la caméra vidéo cachée dans ma montre, mais ce n'est pas si évident. Pas question de me promener le bras gauche en l'air, même si c'est plus pratique pour avoir de bonnes images. Ils devraient penser à utiliser des lunettes avec caméra, la prochaine fois. Espérons que les gens du SCRS arriveront à y trouver leur compte.

Et quand nous avons enfin commencé à tourner, ce fut interminable. Nous faisons une séquence où, dans la cafétéria de l'école, le personnage de Laurent, le copain de Maïka, lui fait une scène de jalousie à cause de la nouvelle amitié que cette dernière entretient avec Adrien, fils de l'ennemi juré de sa mère décédée. Heu... quelque chose comme ça, je crois bien.

Assis à une table, Justine Larouche, l'actrice jouant Maïka, et Maxime Séguin, qui joue Laurent, doivent faire semblant de se disputer. La scène ne doit durer que deux ou trois minutes dans la série, mais nous en sommes à la treizième prise et cela fait tout près de trois heures que le tournage est commencé.

Quand ce n'est pas une perche qui fait de l'ombre sur le visage de Justine, c'est la batterie d'une caméra qui lâche, un technicien qui est entré dans le champ de vision de Maxime et l'a déconcentré, un scripteur qui a éternué, un acteur qui a oublié son texte ou un micro qui s'est décroché. Sans compter qu'entre chaque prise, une maquilleuse fait des retouches ou une styliste ajuste les plis du t-shirt de Justine.

Sans oublier Princesse Mulan, un Shih Tzu débile appartenant à Justine et qui traîne librement sur le plateau de tournage. Une autre requête de la comédienne, qui a exigé que son animal soit avec elle en tout temps. Faisant pipi sur les fils d'un micro, mordant le bord du pantalon d'un caméraman, jappant furieusement après un perchiste ou se frottant frénétiquement les parties intimes sur le pied du réalisateur, ce sous-canin dégénéré est une vraie plaie que tous endurent en maugréant.

Les figurants, de leur côté, doivent faire semblant de manger, de discuter entre eux ou de lire un livre. Assise à une autre table, je dois simuler de jouer une partie sur un Nintendo DS – ça tombe quand même bien, je suis championne pour ça! –, mais j'ai du mal à ne pas fixer constamment Justine et Maxime. Je n'arrive pas à croire que ceux que je regarde chaque semaine à la télévision sont bien là, en chair et en os, à quelques mètres de moi! Je pourrais presque les toucher, si je le voulais. Mais je suis bien trop intimidée pour m'en approcher. De toute façon, quand ils ont daigné entrer sur le plateau de tournage après une bonne heure de retard, ils ont ignoré presque tout le monde.

Guillaume et Marilou sont assis à d'autres tables eux aussi. Je ne sais pas si nous allons réussir à amasser de l'information pertinente sur ce genre de tournages. On ne peut pas bouger ou se déplacer beaucoup, nous sommes à la merci des horaires et des consignes du metteur en scène, qui décide de tout.

Vincent et monsieur Marsolais, par contre, paraissent se débrouiller très aisément. Non seulement jouent-ils leur rôle de perchiste preneur de son pour Vincent, et de technicien lumière pour monsieur Marsolais, mais ils ont une plus grande liberté de mouvement que nous. En plus, on jurerait qu'ils ont fait cela toute leur vie.

Soudain, quelqu'un interrompt une nouvelle fois la scène que nous tournons.

— Eh, toi! La petite rousse, là!

Je me retourne vers le metteur en scène. Il me pointe du doigt, l'air plutôt fâché. C'est bien à moi qu'il parle?

— Qui, moi?

— Oui, toi! Tu es censée faire semblant de jouer à ton jeu, petite. Alors, cesse de fixer Justine du regard, veux-tu? On a déjà du retard sur notre horaire, alors j'aimerais bien qu'on puisse terminer cette scène au plus vite.

J'avale ma salive avec peine. Tout le monde me regarde, furieux ou agacé. Zut, je viens vraiment de gâcher l'enregistrement d'une séquence? Je me sens tellement mal que je m'enfoncerais bien sous terre en ce moment. Du même coup, Justine soupire bruyamment.

— Je vous jure… Quand des figurants me fixent de la sorte, ça me déconcentre, se plaint-elle.

Oh là, là on dirait que j'ai commis une bêtise. Encore.

— On est susceptible, aujourd'hui, on dirait, la taquine Maxime.

— Pfff… on sait bien, toi, rien ne te touche jamais, rétorque Justine. Toujours enfermé dans ta loge à pitonner sur ton ordinateur et à surfer sur Internet au lieu de répéter tes textes. Qu'est-ce que tu peux fabriquer tant que ça là-dessus, monsieur le mystérieux?

Je tends l'oreille. Hum… cette conversation prend une tournure intéressante, tout à coup. Mais elle est interrompue, car le tournage reprend son cours, ce qui me permet par la même occasion de me cacher derrière ma console de jeu miniature et prier pour que tout le monde m'oublie.

— Moteur… demande le chef de plateau.

— Ça tourne! répond le chef opérateur du son.

— Scène 28, prise 14, dit le *clapman*[7].

Le premier opérateur adjoint lance alors la caméra. Une fois qu'elle a atteint sa bonne vitesse, il donne le signal.

---

7   Personne qui présente le *clap* devant la caméra au début de chaque prise. Il s'agit généralement d'un machiniste.

— Clap! annonce-t-il.

— Action! lance le réalisateur.

Justine et Maxime achèvent enfin la séquence à la perfection, cette fois. Quant à moi, j'ai regardé l'écran de mon Nintendo DS avec une assiduité hors du commun, tout le long du tournage. J'ai presque oublié de tourner la tête vers Justine et Maxime, comme prévu au script, lorsque cette dernière lui a asséné une gifle retentissante en lui disant qu'elle rompait avec lui.

— Coupé! C'est bon! annonce le réalisateur.

Tout le monde soupire de soulagement. Enfin, cette scène est terminée. Une chance, car sous la lumière des projecteurs, il fait terriblement chaud. À tel point que je me suis mise à transpirer, ce qui a fait couler mon fond de teint.

Je n'en reviens tout simplement pas de voir à quel point le travail des comédiens est long, complexe et éreintant. Je les admire de parvenir à garder leur concentration après tout ce temps et tous ces imprévus. Se transformer, devenir une autre personne et rendre les émotions de manière si naturelle, malgré un attirail d'appareils, les consignes du réalisateur en plein milieu d'une scène ou des techniciens qui se déplacent en arrière-scène. Je ne fais même pas le quart de leur travail et je suis déjà fatiguée. Et dire qu'ils vont sans doute continuer jusque tard ce soir.

Pour moi et les autres figurants de cette scène, notre travail est terminé pour aujourd'hui. Avec un peu de chance, peut-être pourrais-je faire le tour du plateau et surveiller un peu?

Puisque je suis libérée de mes obligations, je tente de me promener très discrètement dans les alentours. Je me mets à la recherche de tout ce qui pourrait être suspect. Pas facile, c'est encombré de partout, il y a des appareils, des costumes et des accessoires dans chaque recoin. Ce serait vraiment facile de cacher un appareil d'écoute électronique, par exemple, dans tout ce bazar.

Pendant ce temps-là, Justine et Maxime sont partis dans leur loge respective pour se reposer et se changer. Les deux paraissent à bout de nerfs et épuisés, alors je suppose que ça leur fera du bien de se retirer un peu. J'ai d'ailleurs remarqué que lorsqu'il n'est pas occupé à répéter une scène, Maxime passe beaucoup de temps à l'ordinateur, que ce soit pour jouer, clavarder ou surfer. Apparemment, c'est un ancien premier de classe qui désirait devenir informaticien lorsqu'il était plus jeune. Tiens, tiens... intéressant.

J'ai même entendu Justine hurler à je ne sais trop qui qu'elle voulait absolument son *latte* avec du lait de soya biologique du Suriname — est-ce une île exotique de l'océan Indien, je l'ignore —, mais ça semblait vraiment important.

J'aimerais bien demander l'aide de Marilou et de Guillaume pour faire mes recherches, mais, officiellement, pour les besoins de la mission, nous ne nous connaissons pas. Ceci pour éviter les soupçons. Nous devons donc nous ignorer mutuellement, la plupart du temps. Pas si évident.

— Ariel ! Youhou !

Je me retourne vers la voix qui m'appelle... Laurence ! Mais qu'est-ce qu'elle fait là ?

— Laurence ? Tu ne devrais pas être à l'école ?

— J'ai décidé de terminer plus tôt et de sécher mon dernier cours. Désolée, Ariel, mais là, je ne pouvais plus attendre. J'ai décidé de prendre les choses en main.

— Sécher ton dernier cours ? Pour prendre les choses en main ?

Oh non... j'ai bien peur de comprendre. Quand Laurence a une idée derrière la tête, elle peut être sérieusement obstinée. Même une attaque de Godzilla sur la ville ne parviendrait pas à la détourner de son objectif.

— Tu ne pouvais plus attendre quoi ?

— Que tu te décides à parler aux producteurs de l'émission pour me faire entrer sur le plateau de tournage.

Exactement ce que je redoutais. Je me retiens pour ne pas paraître paniquée devant Laurence, qui semble trépigner de joie.

— Qu'as-tu fait, exactement ?

— Comme je disais, j'ai quitté l'école plus tôt, à midi, explique-t-elle. J'ai réussi à solliciter un petit cinq minutes à la chef coiffeuse de la série.

Comment a-t-elle fait ? Est-elle entrée par une fenêtre, bon sang ? Quoique... Laurence est plus rusée que cela. Ça peut paraître étrange, mais elle peut repérer une coiffeuse professionnelle à dix kilomètres à la ronde. Selon elle, une vraie pro a toujours une chevelure absolument impeccable qui paraît fraîchement coupée ou teinte en tout temps, en plus d'être toujours au fait de la toute dernière mode.

Laurence aura très bien pu surveiller les lieux du tournage et détecter la chef coiffeuse au premier regard. Elle n'avait plus qu'à la suivre, lui offrir un café ou quelque chose du genre et ainsi trouver le moyen de lui parler. Hum... finalement, elle serait peut-être une bonne espionne, elle aussi. Dommage qu'elle soit trop *drama queen* et émotive pour ça.

— Et ensuite ? Qu'as-tu fait ?

— Je l'ai suppliée d'accepter de me prendre comme stagiaire. Je lui ai dit que j'irais même jusqu'à ne pas être payée, s'il le fallait.

Ne pas être payée pour ça ? Faire autant de travail – car j'ai vu le boulot des coiffeuses et ce n'est pas de la tarte – pour rien ? Elle y tient vraiment, à se trouver sur le plateau? Dis donc. J'avoue que j'avais sous-estimé son désir d'assister de près au tournage de *Maïka*.

— Et alors? Qu'est-ce qu'elle a dit?

— Elle a dit qu'elle allait me faire passer un petit test pour voir mes talents en coiffure et qu'après, elle accepterait de me faire entrer une fois de temps en temps sur le plateau pour me donner l'équivalent d'un stage scolaire! Tu imagines? Eh... non mais, qu'est-ce que c'est que ça!?

Princesse Mulan s'est jetée sur Laurence et sautille en griffant son pantalon. Encore cet imbécile de chien!

— Allez, va-t-en, toi! lui dis-je en la poussant du pied.

Sans demander son reste, Princesse Mulan se sauve, déjà prête à aller emmerder quelqu'un d'autre.

— Qu'est-ce que je disais, déjà? dit Laurence. Ah oui! Quand je vais commencer mon DEP en coiffure l'an prochain, j'aurai déjà une longueur d'avance sur les autres élèves! Et qui sait si je ne parviendrai pas à faire créditer mon stage? C'est super, non?

En temps normal, je serais excitée et extatique pour Laurence. C'est un grand accomplissement qu'elle vient de faire là, même si ce n'est pas vendu d'avance. Et puisque Laurence possède déjà des connaissances approfondies sur la coupe, la coloration et la mise en plis, je suis certaine qu'elle va réussir l'évaluation de la chef coiffeuse, même les yeux bandés.

La coiffure, ça a toujours été sa plus grande passion, depuis que je la connais. Ça, et les garçons.

Le problème, c'est que là, si elle vient souvent sur le plateau de tournage, elle pourrait être dans mes jambes ou m'embarrasser. Et si elle nuisait carrément à la mission ? Laurence, c'est ma meilleure amie et c'est une perle, mais elle est souvent trop enthousiaste, trop joyeuse et trop expressive. Comme je la connais, elle va vouloir passer avec moi chaque minute de ses temps libres, si elle en a. Elle pourrait réellement me causer des problèmes. Sans compter qu'elle pourrait se mettre en danger.

Arriverai-je à effectuer mes tâches adéquatement si elle vient toujours me déranger ? Devrais-je saboter son évaluation pour qu'elle échoue et ne puisse pas venir ? Non, ce serait aller trop loin, je ne peux pas lui faire ça.

Aïe, aïe, aïe ! Je ne peux quand même pas lui dire d'abandonner cette idée. Elle y tient tant. Et de toute manière, rien ne la convaincra de ne pas aller jusqu'au bout de son projet. Que dois-je faire ? Horreur et fouillis total dans mon esprit en ce moment.

— Dis donc, tu n'as pas l'air très emballé, dit Laurence, un peu perplexe.

J'essaie de ne pas afficher une mine trop déconfite, mais je vois bien qu'elle a parfaitement raison. Elle remarque sûrement que je ne suis pas aussi contente pour elle que je le devrais. Vite, je dois rattraper le coup, elle ne doit se douter de rien ! J'affiche aussitôt mon plus grand sourire.

— Oh… oui, oui, je suis super heureuse pour toi, Laurence ! C'est génial ! Je suis juste… heu… un peu surprise. Tu as réagi vraiment vite, je ne savais pas que tu tenais à ce point à ce stage et que tu prendrais en main les choses si rapidement. Avoir su, je m'en serais occupée moi-même plus tôt. Je suis impressionnée, tu as réussi vraiment facilement.

— Merci, ma belle, sourit Laurence, satisfaite. J'avoue que je suis assez fière de mon coup. Mais tu sais, je ne veux pas vendre la peau de l'ours avant de l'avoir tué. Je n'ai pas de « oui » final encore, après tout.

Ouf… elle a gobé mon mensonge. Je pousse presque un soupir de soulagement. J'ai un petit pincement au cœur de lui avoir encore menti, mais je n'ai pas le choix. Je veux faire des sacrifices pour être espionne, mais pas question de détruire mon amitié avec Laurence, même pour une mission. Elle compte bien trop pour moi. Lui mentir n'est qu'un moindre mal, après tout. Sauf si elle découvrait un jour la vérité, ce qui pourrait ruiner nos relations.

— Dis donc, j'ai remarqué que Guillaume et toi, vous ne vous parlez pas beaucoup sur le plateau.

Zut, Laurence a déjà vu une photo de Guillaume, elle sait que c'est mon copain.

— Oui, c'est que la politique à l'école est assez stricte. Les relations entre élèves sont encadrées étroitement. Le collège est un peu vieux jeu à ce sujet. Tu sais, pour ne pas nuire aux études et garder la confiance des parents. Et avec un nom comme le Collège des Sœurs de la Très Sainte Trinité, tu devines l'ambiance…

— Ah oui, je comprends. Ça ne doit pas être drôle.

Je respire un bon coup. Un problème à la fois, Ariel. D'abord, parler à monsieur Marsolais dès que je peux le voir en privé. Rien n'est à son épreuve, je l'ai vu à l'œuvre et c'est un espion hors pair. Il trouvera sûrement une solution à mon problème.

— Il faut que je commence à me préparer pour mon évaluation si je ne veux pas échouer, déclare Laurence. Je ne sais pas trop ce que la chef coiffeuse va me demander. On ne doit pas faire souvent de mèches ou de teinture, lors des tournages, non? À mon avis, elle risque plutôt de me demander de fixer une perruque, de faire un chignon français ou quoi encore? Ou peut-être même de créer une coiffure de mon cru? Oh… attends, il faut que je regarde dans mon cartable…

Et voilà, c'est parti. Laurence est dans sa bulle, elle est impossible à arrêter, maintenant. Sans même se soucier de ma présence, elle se dirige vers son sac à dos qu'elle avait posé un peu plus loin, entre deux caméras gigantesques qui ressemblent presque à des dinosaures. Pendant qu'elle fouille frénétiquement dans son sac à la recherche de son sacro-saint cartable dans lequel elle range TOUTES les idées de coiffures, mises en plis, teintures, tresses et autres créations capillaires qu'elle a trouvées depuis l'école primaire, je réfléchis à toute vitesse.

La chose est donc devenue gigantesque. N'empêche, elle refuse de s'en séparer, c'est son objet fétiche. Pourquoi ne pas transférer tout cela sur son iPad, ce serait plus pratique ? Son côté « romantique du papier », peut-être. Il n'y a que son téléphone cellulaire qui puisse espérer être aussi important que son cartable.

J'en profite, pendant qu'elle est occupée, pour m'éloigner un peu et examiner les environs. Il n'y a personne dans les alentours à part nous deux, alors aussi bien en profiter. La salle des serveurs et du réseau WiFi doit être tout près. Bien que je doute trouver quoi que ce soit de suspect – je suppose que notre agent a été brillant, et que s'il a caché quelque chose, c'est bien fait –, je jette un œil rapide quand même.

— Mademoiselle Laforce?

Je me retourne pour apercevoir Vincent qui vient à ma rencontre.

— Il vous faudra être plus discrète, encore, on dirait bien, grommelle-t-il en s'approchant. Apprenez à mieux vous fondre parmi les figurants, la prochaine fois. Pour faire ce travail, vous…

Zut, mais Laurence va entendre ce qu'il me dit! Vincent ne l'a sûrement pas remarquée, puisqu'elle est accroupie derrière les grandes caméras. Sinon, il ne prendrait jamais le risque de me parler aussi ouvertement en ces lieux.

Paniquée, je lui fais rapidement des signes en grimaçant et en simulant de me couper le cou avec la main, pour lui indiquer de se taire au plus vite. Il ne faut pas que Laurence l'entende! S'il fallait qu'elle apprenne des choses top secret par accident, on serait enfoncés dans les problèmes très vite.

Dès qu'il me voit faire des simagrées en jetant des regards en direction des caméras pour lui indiquer la présence d'un témoin, Vincent comprend immédiatement et cesse de parler, tout en figeant sur place. Ouf… une chance qu'il est brillant et rapide! Pour une fois que c'est lui et non pas moi qui passe tout près de commettre une bévue.

Au même instant, Laurence, qui a entendu la voix de Vincent, se relève et s'approche de moi. Comme d'habitude, sans la moindre gêne ou hésitation, elle se dirige tout droit vers lui, tout sourire, et lui tend la main d'une manière totalement franche. Du Laurence tout craché. Sociable, directe et honnête avec tout le monde.

Heureusement, j'ai eu beau parler abondamment de Vincent à Laurence, et à quel point il me rendait la vie désagréable, elle n'a jamais su à quoi il ressemblait. Elle m'avait déjà demandé une photo de lui afin de mieux le détester avec moi, mais je me suis toujours refusée à l'idée d'avoir une photo de ce gars-là dans mon cellulaire. Berk!

— Bonjour, je m'appelle Laurence Martel, dit-elle à Vincent. Vous êtes technicien de son, à ce que je vois? Vous vous appelez comment?

Vincent me jette un coup d'œil rapide, l'air de s'interroger, pendant un quart de seconde. Je pense que j'ai intérêt à donner quelques explications au plus vite afin de débroussailler la situation. Et d'éviter d'autres embourbements possibles.

— Laurence est ma meilleure amie depuis le primaire, elle va probablement faire un stage dans le département de coiffure. Il ne lui reste plus qu'à passer un examen et elle pourra travailler avec la chef coiffeuse.

Vincent hoche la tête et c'est alors qu'il... sourit! Oui, oui, il fait vraiment un sourire! Ça, alors, depuis les huit mois que je le côtoie, jour après jour, je suis pas mal sûre de ne jamais l'avoir vu sourire! Et ça ne fait pas craquer ou plisser son visage, comme je l'aurais imaginé. Mais non, cela semble même très naturel, même pas forcé ou exagéré.

Lui, toujours si sévère, brusque, impitoyable. Qui ne daigne ouvrir la bouche que pour relever une erreur – comme il venait tout juste de le faire, d'ailleurs –, ou pour souligner un manquement. Et le voilà qui sourit à pleines dents à Laurence!

Je suis bouche bée de voir cela. Mais ma surprise augmente quand Vincent serre chaudement la main de Laurence comme si les deux s'apprêtaient à devenir les meilleurs amis du monde! C'est un véritable caméléon, ce gars. Un espion exceptionnel et chevronné, bien qu'il n'ait que vingt et un ans.

— Bienvenue parmi nous, Laurence, dit-il. Ariel nous a parlé de toi à plusieurs reprises. C'est un plaisir de te rencontrer enfin.

Quoi? Je ne lui ai jamais parlé de Laurence, ça, c'est certain! D'ailleurs, j'ai toujours évité soigneusement de parler à Vincent, point à la ligne. Je ne le faisais qu'en cas d'absolue nécessité. Je suis convaincue qu'il ne connaissait même pas l'existence de Laurence jusqu'à il y a tout juste une minute. Et... un instant... il m'a bien appelée Ariel? C'est bien la première fois qu'il prononce mon prénom! Jusqu'à

présent, ça a toujours été « Mademoiselle Laforce »,
dit avec froideur, voire avec dédain.

Je suis subjuguée de constater à quel point Vincent
s'est transfiguré pour devenir un type affable, voire
sympathique. Il me fait même penser un peu à
monsieur Marsolais. Il ferait un agent double hors
pair, c'est certain.

— Et votre nom ? redemande Laurence.

— Vincent Larochelle, je suis l'un des enseignants
d'Ariel.

Laurence reste alors figée, la main de Vincent
toujours dans la sienne. Elle demeure bouche grande
ouverte et cligne des yeux, incertaine. Les points
d'interrogation se multiplient dans son regard. Elle
ne doit plus rien comprendre, la pauvre. Moi qui n'ai
cessé de me plaindre de Vincent et de sa personnalité
digne d'un grizzly enragé, doublée d'un caractère
aussi chaleureux qu'un *popsicle*. Et là, il semble tout
simplement… ben, normal, quoi.

— Vous… vous avez bien dit Vincent Larochelle ?
bafouille-t-elle.

— C'est bien moi, répond-il.

— Ah… heu… et vous travaillez sur le plateau de
tournage ? dit-elle, visiblement sceptique.

Et zut ! Comment est-on censés lui expliquer cela ?
Que moi et quelques élèves participions comme
figurants passe encore, mais que des enseignants

soient techniciens sur le plateau? Plutôt étrange. Quel prétexte devrait-on évoquer? Par chance, Vincent réagit aussi rapidement qu'un avion à réaction. Il a dû retenir la leçon à la suite de sa quasi-bêtise d'il y a un instant.

— C'est dans le cadre du cours de cinéma au collège, explique-t-il. Les élèves et les professeurs participent au stage sur un plateau de tournage pour le cours, grâce à une entente avec les producteurs. Cela permet, entre autres, de mieux encadrer et évaluer les étudiants tout en permettant aux enseignants de continuer à parfaire leurs connaissances du milieu et de la garder à jour.

Ça, alors! A-t-il réussi à inventer un prétexte aussi crédible en un battement de cils, ou avait-il déjà des scénarios préparés dans sa tête en cas de pépin? Je suis abasourdie par la vraisemblance de sa réponse. Ça semble très bien se tenir, je trouve.

— Maintenant, si vous voulez bien m'excuser, je dois retourner voir le réalisateur, dit Vincent. Passez une bonne journée, mesdemoiselles.

Sur ce, il nous salue, tourne les talons et disparaît de notre vue.

Laurence et moi le regardons partir, sidérées toutes les deux, mais sûrement pas pour les mêmes raisons.

— C'est vraiment lui, l'enseignant super bête dont tu m'as parlé ? bégaye-t-elle lorsqu'elle retrouve enfin l'usage de la parole.

J'avoue que c'est déconcertant. Aurait-il eu le coup de foudre pour elle ? Est-ce possible ? Ils sont tellement à l'opposé l'un de l'autre. Ou n'est-ce qu'une excellente séance d'improvisation ?

— Heu... oui, mais je t'assure que d'habitude, il n'est pas comme ça. C'est peut-être... heu... parce qu'on est en dehors de l'école. Il faut qu'il se comporte autrement devant les acteurs et le metteur en scène, je suppose.

A-t-elle avalé mon nouveau mensonge ? Je trouve que ça fait un taux de mensonges à la minute plutôt élevé. Mais Laurence ne paraît même pas relever mes tromperies. Elle ne cesse de fixer avec une drôle d'expression la porte par où Vincent est sorti.

— Qu'est-ce qu'il y a, Laurence ?

— Oh... rien. C'est juste que...

Elle hésite et fait un rictus des lèvres.

— Quoi ?

— Ben, je suis plutôt surprise.

Vraiment ? Le contraire m'aurait renversée.

— Je suis un peu déçue que ton Vincent Larochelle ne soit pas plus laid, dit-elle. Il est même plutôt mignon.

Pardon ? J'ai bien entendu ?

— Un peu plus difficile de le détester, maintenant, ajoute-t-elle en grimaçant. J'aurais préféré qu'il soit plus moche, ça m'aurait aidé un peu. Je l'imaginais vraiment plus laid que ça. Et il a l'air pas mal athlétique.

C'est une blague? De toute sa rencontre, c'est tout ce qu'elle a retenu? Qu'il n'était pas aussi hideux qu'elle l'avait imaginé? Et même qu'il était mignon? Beuh... À vomir. Je n'arrive pas à en croire mes oreilles.

— Tu me fais une blague, Laurence?

— Ben non, il est pas si mal.

Grbblnml... ce qu'elle peut être superficielle, par moments. Heureusement que je l'aime beaucoup, parce que parfois, elle me tape un peu sur les nerfs.

— Laurence, tu es incroyable!

— Ben quoi? Ce n'est pas ma faute, quand même...

Notre conversation est brusquement interrompue par un fracas et des bruits de verre éclaté provenant du plateau de tournage, un peu loin. Suivent alors des hurlements apparemment paniqués. Et je n'ai pas l'impression que ce sont des acteurs en train de tourner une scène. Tout ça semble bien réel.

Laurence et moi, nous nous jetons un regard étonné. Puis, sans faire ni une ni deux, nous nous précipitons vers l'endroit d'où ont surgi les cris.

Nous arrivons sur les lieux où se préparait la prochaine scène à tourner. Un attroupement s'est formé autour de la silhouette d'un homme, étendu par terre. Il s'agit d'un technicien. À sa droite, un néon du décor, tombé du plafond, a explosé en morceaux. L'homme est couché sur le côté et sa tête est inclinée dans un drôle d'angle, entre ses deux bras.

Son crâne est couvert de sang qui se mêle à ses cheveux en coulant jusque dans son cou. Il a vraisemblablement reçu un solide coup sur la tête et est inconscient. La vision est atroce. Tout le monde est horrifié et apeuré. Le pauvre a-t-il le crâne fracturé?

— Que s'est-il passé? demande Laurence.

— Un néon est tombé du plafond sur lui, répond un caméraman.

— Appelez une ambulance! ordonne le chef de plateau. Il a perdu connaissance.

Ben dis donc, il s'en passe, des choses, sur un plateau de tournage. Est-ce toujours ainsi? C'est vraiment normal que des parties du décor s'effondrent comme ça et assomment les gens? Plutôt louche. C'est plus dangereux que je le croyais, de travailler dans ce milieu.

Mais le plus étonnant reste à venir. L'horreur ne fait que commencer. Lorsque le chef de plateau dégage les bras du technicien pour lui permettre de bien respirer et que je vois enfin son visage, mon cœur s'arrête, ma tête tourne et mon estomac fait un tour complet. Les larmes me montent aux yeux et je sens même mon visage virer au blanc tellement je suis bouleversée.

L'homme qui gît, inconscient sur le sol, la tête fracassée, c'est monsieur Marsolais.

CHAPITRE 5
Du calme, Ariel...

Le lendemain, tout est revenu à la normale. Enfin, presque. Je suis encore sous le choc. Tout comme Marilou, Guillaume et Béatrice, d'ailleurs. Quant à l'état d'esprit de Vincent, je ne suis pas certaine d'en avoir une idée juste. Il est revenu en un rien de temps à son état habituel : neutre et froid. Essayer de savoir ce qui se passe réellement entre ses deux oreilles, c'est comme tenter de deviner le résultat du prochain Loto 6-49.

Monsieur Marsolais est parti en ambulance hier et se trouve encore en observation à l'hôpital. Selon les médecins, il n'est pas en danger et s'en tirerait avec une commotion cérébrale, sans plus. Plus de peur que de mal, semble-t-il. Mais ils veulent tout de même le garder encore vingt-quatre heures, par mesure de sécurité. On ne badine pas avec un traumatisme du genre.

Dès que je ferme les yeux, je le revois encore, inconscient sur le sol, les cheveux couverts de sang, et des frissons me parcourent le dos. J'ai du mal à y croire. Qu'est-il arrivé, au juste ?

Dès qu'il a été mis au courant de l'accident par Vincent, le SCRS nous a tous rapatriés dans le plus grand secret dans une de leurs succursales, située dans le centre-ville de Montréal. Les bureaux se trouvent au douzième étage d'une tour de bureaux en apparence très ordinaire. Personne ne pourrait se douter que ces lieux abritent les locaux des services secrets canadiens. Le seul signe est que la porte est protégée par un système de sécurité, activé par un code d'accès et muni d'une alarme.

Nous y sommes donc confinés, à la fois pour nous mettre tous en sécurité et nous tenir informés de la situation. Si le «facteur» a percé le secret de monsieur Marsolais, rien ne dit qu'il n'a pas découvert notre véritable rôle également, ce qui nous mettrait tous en danger. Ce qui signifie que nous ne participerons peut-être pas au tournage demain.

Dans ces locaux du SCRS, il y a quelques lits rudimentaires et une salle de bain commune, en plus des bureaux, pour dépanner. Car on ne sait jamais quand un agent ou une source en danger aura besoin d'être caché ou camouflé un certain temps. Mais cet endroit est loin d'être confortable.

On ne sait pas encore ce qui s'est passé exactement, mais les agents du SCRS n'écartent aucune possibilité. Est-ce un simple accident ou y a-t-il vraiment eu attentat? Le SCRS tente d'enquêter sur l'événement. Nous sommes en attente.

Quel genre de renseignements notre espion désire-t-il dérober au SCRS et au ministère de la Défense nationale qui soient si importants pour qu'il aille jusqu'à attenter à la vie de quelqu'un ? Les plans du prochain avion de chasse de l'armée ? La liste des agents secrets du SCRS ? On ne parle sûrement pas de la liste d'épicerie du premier ministre.

Par ailleurs, des accidents de ce genre sur des plateaux de tournage, ce n'est pas terriblement répandu, mais ça se peut. C'était arrivé à l'une des actrices d'un téléroman américain, il y a quelques années. En plein milieu d'une scène, une perche lui était tombée dessus et l'avait blessée à la tête. Alors, pourquoi pas ?

En attendant d'avoir des réponses, je me demande si je ne devrais pas trouver un passe-temps pour ne pas virer complètement dingue. Prise entre quatre murs avec un ordinateur un peu obsolète et un téléviseur comme seules distractions, je me morfonds.

L'image de monsieur Marsolais blessé me hante et, chaque fois qu'elle apparaît dans mon esprit, une boule se forme dans ma gorge. Un court instant, j'ai même cru que monsieur Marsolais était mort, jusqu'à ce que le chef de plateau confirme qu'il respirait bel et bien. Je dois chasser cette image de ma tête et penser à autre chose. Réfléchis aux objectifs de la mission, Ariel. Qui, jusqu'à présent, semble avoir eu un comportement suspect? Difficile à dire. Comment identifier le coupable? Installer des caméras cachées dans les loges et sur les lieux du tournage?

L'endroit est très surveillé et des gens se promènent partout presque en tout temps. S'isoler dans un pareil endroit pour installer un mouchard, par exemple, n'est pas facile. Les entrées et sorties sont contrôlées. La sécurité sur les lieux est telle que le scénario des prochains épisodes de la série *Maïka* semble aussi protégé que la liste des agents doubles de la CIA. Alors, effectuer une opération secrète dans ce contexte ne sera pas évident. Il y a sûrement une solution pour régler ce problème.

En ce moment, dans nos locaux fermés, chacun s'occupe comme il peut. Quant à Vincent, j'ignore où il se trouve et ce qu'il fabrique.

Tant pis, je n'en peux plus! Je ne tiens plus en place. Ça fait près de vingt-quatre heures que nous sommes là, à nous tourner les pouces. Et dire que je ne peux même pas joindre mes parents ni Laurence, par mesure de sécurité. Les choses ne se déroulent pas du tout comme je l'avais imaginé pour ce retour à Montréal.

Les gens du SCRS, quant à eux, sont absorbés par leurs tâches – enquêter, je présume – et personne ne se préoccupe vraiment de notre sort. Je n'ai peut-être pas le droit de sortir de la tour, mais je peux au moins sortir des locaux.

Au rez-de-chaussée se trouve un café, je décide de m'y rendre pour me changer les idées. Je prends donc ma veste, mon porte-monnaie et me dirige vers les ascenseurs de l'édifice. Alors, une voix m'interpelle.

— Ariel, attends-moi !

Guillaume m'a vue partir et m'a suivie.

— Tu ne t'attendais quand même pas à te sauver sans moi, petite sirène ? dit-il en rigolant.

Je souris. Toujours le mot pour rire, mon cher Guillaume. Une chance qu'il est là pour me remonter le moral.

— Où vas-tu comme ça, ma belle ? Tu sais que l'on a reçu comme consigne de ne pas sortir.

— De l'édifice, oui. C'est textuellement ce que Vincent nous a dit. Mais je peux aller en bas, par contre. Tant que je reste à l'intérieur, ça va.

S'il y a une chose que l'on nous inculque très vite dans notre collège, c'est que nous devons écouter TRÈS attentivement les instructions et les apprendre par cœur du premier coup. Nous n'avons pas droit à l'erreur et, en mission, pas question de prendre des notes. Ce serait bien trop dangereux si un ennemi mettait la main dessus. Alors, comme la plupart des autres élèves, j'ai intégré cette notion rapidement et, maintenant, je peux citer très exactement les ordres reçus, sans faire d'erreur.

— Oh, je vois, répond Guillaume. On joue avec les limites des règles. J'adore.

Au même moment, les portes de l'ascenseur s'ouvrent. Guillaume et moi, nous nous engouffrons à l'intérieur avec un regard complice. On nous a dit de faire semblant de ne pas nous connaître dès notre arrivée à Montréal, pour éviter qu'on nous soupçonne de quoi que ce soit sur le plateau de tournage. Mais dans cette tour de bureaux, personne ne peut nous voir, non ?

Dès que les portes se referment sur nous, Guillaume m'enlace la taille et m'attire vers lui. Sans attendre, j'entoure son cou de mes bras et plaque ma bouche sur la sienne. Hmmm... comme c'est bon. Je me sens automatiquement détendue. Le fait de transgresser un peu les règles ajoute même à mon plaisir. Surtout en sachant que ça agacerait sûrement Vincent s'il devait voir cela.

L'ascenseur s'arrête au rez-de-chaussée. Main dans la main, Guillaume et moi sortons pour nous diriger vers le petit café, situé tout près de la porte d'entrée. Ce sera notre plaisir coupable pour égayer une journée à la fois difficile et ennuyeuse.

Il n'y a pas tellement de mal à ça, non ?

***

Les résultats de l'enquête arrivent le lendemain matin. Verdict: non concluant. Les vis retenant le néon tombé sur monsieur Marsolais étaient très vieilles et usées. Apparemment, il n'y avait aucune surprise à ce qu'elles aient lâché, tant elles étaient en mauvais état.

Le hic, c'est que le technicien responsable de l'éclairage affirme dur comme fer qu'il avait changé ces vis. Plutôt curieux. Notre espion les aurait-il remplacées en secret pour simuler un accident?

Impossible de le savoir avec certitude, mais, pour l'instant, tout le laisse croire.

Le SCRS a proposé à monsieur Marsolais de le retirer de la mission et de le remplacer. Mais il a refusé. Selon lui, le « facteur » ne peut détenir aucune preuve directe sur sa véritable profession, il ne peut avoir que des soupçons. Quitter le plateau de tournage après l'accident pourrait paraître étrange et confirmer les suspicions de notre homme. Cela lui prouverait ainsi qu'il est surveillé, ce qui pourrait l'inciter à s'enfuir ou même à faire son vol de renseignements plus tôt.

Bref, trop risqué selon monsieur Marsolais.

— Il vaut mieux agir comme si nous étions blancs comme neige et n'avions rien à cacher, a dit monsieur Marsolais. Cela confondra notre espion, s'il me suspectait. C'est mieux ainsi.

Wow... encore une fois, je suis en admiration devant monsieur Marsolais. Quel sang froid, quand même. Même en sachant qu'on a peut-être attenté à sa vie, il est prêt à retourner dans la fosse aux lions sans même un battement de cils.

L'ennui, c'est que les prochaines scènes que nous devons tourner n'ont lieu que dans une semaine. C'est donc un retour au collège, à Ottawa. Et retour à la vie normale ainsi qu'à nos études.

Zut, juste comme il commençait vraiment à y avoir de l'action.

***

Quatre jours plus tard – Béatrice et moi avons dû faire nos trois jours de retenue à notre retour – je suis convoquée à un exercice spécial par Vincent, au gymnase. On me somme de mettre mes vêtements pour l'éducation physique et de m'y rendre immédiatement après mon dernier cours de la journée. Beuh... non seulement je parie que je devrai reprendre le combat avec Béatrice – dans les règles de l'art, cette fois –, mais l'idée de revoir Vincent n'est pas pour m'enchanter.

J'arrive sur place. Vincent se trouve dans le coin réservé aux simulations de combat, comme je le soupçonnais. Vêtu lui aussi en short et en t-shirt sport, il saute sur place pour s'échauffer. Mais il n'y a personne d'autre. Décidément, c'est mon lot d'être prise constamment seul à seul avec Vincent. Ce gars-là a vraiment une dent contre moi. Je vais vraiment croire qu'il en fait une affaire personnelle.

— Montez sur le ring, mademoiselle Laforce, m'ordonne-t-il.

J'obéis et le rejoins à contrecœur. Après que je me sois échauffée quelques minutes comme il me l'a ordonné, il me fait signe d'approcher.

— J'ai eu une discussion avec madame Duval et monsieur Frost, commence Vincent. Ils m'ont demandé de travailler certaines choses avec vous.

Je sourcille. De quoi parle-t-il? De mes habiletés en combat? Je ne suis pas si mal que ça, pourtant.

— Pourquoi vous et non monsieur Marsolais? Il est mon tuteur, c'est généralement lui qui devrait faire cela.

— Il s'occupe d'un groupe d'élèves de deuxième année en mission aux États-Unis. Et cette tâche relève davantage de mes compétences que des siennes.

— Que devons-nous travailler?

— Vous verrez. En attendant, poursuit-il en prenant deux palettes rembourrées et couvertes de cuir dans chaque main, premier exercice: vous devez tenter de frapper sur ces palettes.

Je grimace. C'est une blague? Il n'y a rien de plus facile, on fait ce genre d'entraînement depuis le début de l'année. Mais je sais aussi qu'il vaut mieux ne pas contredire Vincent ou le remettre en question. Enfin, pas trop souvent. Surtout qu'il ne me porte déjà pas dans son cœur.

Je me mets en position de combat et commence à frapper avec mes poings sur les palettes, que Vincent tient à la verticale devant moi. Au début, pas de problème, c'est d'une facilité enfantine. Mais rapidement, Vincent se met à bouger les palettes à toute vitesse et plus ça va, plus j'ai du mal à les atteindre.

Rapidement, je manque mon coup et frappe dans le vide à côté de la cible. C'est alors que Vincent me donne un coup de palette rembourrée sur le dessus de la tête! Je ne m'attendais pas du tout à ça et je suis confondue.

— Aïe! Mais ça fait mal! Qu'est-ce qui vous prend?

— Ratez votre coup encore une fois et vous en aurez un autre, répond-il.

— Quoi? Vous me punissez si je manque ma cible?

Mais il est cinglé, ce gars! Un vrai danger!

— Continuez, rétorque Vincent d'un ton ferme, sans se préoccuper de ma remarque.

Je serre les poings, prends une grande respiration pour tenter de me calmer. Ce qu'il peut m'énerver, par moments, lui! Allez, Ariel, tu es capable! Ne te laisse pas avoir par ce type.

Je me mets en position, me concentre et frappe de nouveau. Après trois ou quatre fois, Vincent recommence à se déplacer à l'intérieur du ring et à bouger les palettes de plus en plus vite. Je recommence à avoir du mal à suivre le rythme. J'ai chaud, je transpire et je suis de plus en plus essoufflée. Vincent se déplace à toute vitesse, fait des mouvements plus amples et ses bras bougent si vite que j'ai du mal à les suivre des yeux. Je suis peut-être douée en combat, mais j'ai mes limites. Ce qui devait arriver arrive, et je manque mon coup une autre fois.

Aussitôt, Vincent m'assène un autre coup de palette sur le crâne! Cette fois-ci, il y est allé plus fort et c'est très douloureux. Ma tête vibre, je me sens étourdie et je trébuche en m'accrochant de justesse aux cordes. Il est fou, il va vraiment trop loin! Je perds patience.

— Ça ne va pas? Vous m'avez fait vraiment mal!

— Ça fait partie de l'exercice, mademoiselle Laforce. Calmez-vous et continuez.

Pendant un court instant, j'ai juste envie d'arracher les bandelettes qui protègent mes poings, les lui lancer au visage et foutre le camp. Pourquoi me fait-il endurer ça? Mais je sais que ça ne m'avancera à rien. J'ai beau détester Vincent, il demeure un enseignant et il suit les ordres de monsieur Frost. Il agit donc en toute légitimité. Et qui a dit que ma formation de future espionne serait facile?

Je respire un grand coup, encore une fois. Du calme, Ariel. Je ne sais pas quel est le but exact de cet exercice idiot – peut-être tester mon seuil de tolérance à la douleur? –, mais je ne dois pas perdre patience. Il faut que je sois plus forte que Vincent. Ne pas me laisser avoir. Ce n'est pas chose facile, car il est bien plus expérimenté que moi. Mais je peux y arriver.

Nous reprenons l'exercice. Très vite, le même manège recommence. Vincent me laisse d'abord réussir quelques coups, mais il se déplace à toute vitesse en faisant aller ses bras avec une rapidité quasi surhumaine. Je me fatigue rapidement. Dès que je rate la cible, il me donne un coup de palette sur un bras, sur une hanche ou sur une cuisse – je suppose que ma tête y a assez goûté et il ne veut pas que j'aie une commotion cérébrale.

Ça pince horriblement, et plus le temps avance, plus ses coups sont forts et douloureux. Néanmoins, je me retiens de perdre patience ou de crier et j'essaie de continuer, comme si de rien n'était. Mais je trouve de plus en plus difficile de rester calme et de me concentrer. Je m'épuise. J'ai la peau des membres rouge et presque brûlante à force de recevoir des coups. Chaque fois, je me sens de plus en plus agacée et impatiente.

Je rate encore ma cible et, cette fois, Vincent me frappe durement la tête, sur le dessus! Je perds l'équilibre et mon crâne résonne comme une cloche! La souffrance irradie dans tout mon cerveau. Cette fois, c'est trop! Je pousse un hurlement de frustration et de douleur, j'en ai plus qu'assez de ce manège stupide! À quoi ça rime, en plus, de me faire souffrir de la sorte?

Alors que je reprends tout juste mon équilibre, je me donne un élan pour frapper la palette que Vincent tient toujours dans les airs et... rate encore mon coup!

Dans ma lancée, je trébuche et je m'étends de tout mon long sur le sol! J'aimerais me relever, mais je n'en ai plus la force, je suis vannée. Je parviens tout juste à me tourner sur le dos. C'est assez, je n'en peux plus! Je ne veux plus participer à ce jeu imbécile, même si c'est censé être un test. Vincent fera ce qu'il veut, je m'en contrebalance. Je reste donc allongée, en nage et à bout de souffle, sous le regard hautain de Vincent, toujours aussi neutre et froid. Il ne dit pas un mot et, franchement, je préférerais qu'il me crie encore après.

Son silence m'énerve. En attendant, je n'entends plus que ma respiration saccadée pendant que je tente de reprendre mon souffle.

— Je crois que nous avons terminé, dit-il enfin. Commencez-vous à comprendre ce que j'essaie de vous montrer, mademoiselle Laforce ?

Si son but était de m'humilier et de me faire sentir nulle, il a bien réussi, en tout cas. Il retire les palettes de ses mains, s'adosse aux cordes du ring et croise les bras, sans cesser de me regarder, alors que je suis toujours couchée et que je fixe le plafond, encore furieuse et épuisée.

— Il appert, comme nous l'avons toujours soupçonné, que vous avez beaucoup de talent, mademoiselle Laforce, poursuit Vincent. Vous avez un bon sens de l'observation, vous êtes intelligente, rapide et minutieuse.

Wow… c'est vraiment lui qui me dit ça ? Après m'avoir fait endurer toute cette mascarade et m'avoir maltraitée ? Je lui jette un regard interloqué.

— Mais vous avez un très gros défaut, mademoiselle Laforce, ajoute-t-il. Vous ne contrôlez pas vos émotions. Lors de notre exercice, vous êtes devenue irritable, vous avez perdu votre concentration, et c'est pour cette raison que vous êtes tombée.

Ah… nous y voilà enfin. C'était ça, le but de ce test ? Me pousser à bout pour me faire perdre patience ? Me montrer que je ne sais pas gérer mes sentiments ? Je me relève pour m'asseoir.

— Parce que j'étais censée rester calme, avec tout ce que vous m'avez fait, monsieur Larochelle ? Vous m'avez frappée et vous m'avez fait vraiment mal, je vous ferais remarquer. Sauf votre respect, je ne connais pas beaucoup de personnes qui auraient pu conserver leur sang-froid dans ces circonstances.

— Pour des gens ordinaires, c'est bien vrai. Mais les espions ne sont pas des gens ordinaires.

J'accuse le coup. Il a raison, encore une fois.

— Vous croyez vraiment que je vous ai fait souffrir, mademoiselle Laforce ? dit Vincent sur un ton narquois. Dites-vous bien que ce que je vous ai fait subir, ce n'est rien. Les agents du SCRS, lorsqu'ils sont en mission, doivent résister à la torture pendant des heures et même des jours, s'il le faut. Quelques coups de palette, croyez-moi, c'est bien peu.

Je déglutis avec peine. Touché, une fois de plus. Vincent est peut-être impitoyable, mais chaque fois qu'il fait quelque chose, c'est pour une bonne raison. N'empêche qu'en ce moment, c'est sur lui que j'aurais envie de pratiquer un peu de torture. Comme dans nos cours de l'an prochain.

— Alors, vous vouliez me faire perdre patience pour me montrer ça ? C'est à cause de ma bataille avec Béatrice ? Pourquoi ne pas seulement m'en parler et me dire de m'améliorer, tout simplement ? Ça aurait été suffisant.

— J'ai bien peur que non. D'abord, c'est quelque chose qu'il faut exercer de manière pratique et concrète, dans de véritables situations qui vont vous mettre au défi. Ensuite, ce n'est pas le seul problème que vous avez. Un espion se doit de contrôler ses émotions et de les cacher. J'ai vu votre expression, l'autre jour, quand vous avez aperçu monsieur Marsolais inconscient. Vous n'avez rien fait pour camoufler votre terreur et votre désarroi. Or, dois-je vous rappeler que sur le plateau de tournage, vous n'étiez pas censée connaître monsieur Marsolais ? Votre visage en disait long sur vos émotions et cela aurait pu éveiller les soupçons de notre agent s'il vous avait vue.

Devrais-je vraiment cacher tout ce que je ressens ? Je regarde Vincent et rien ne transparaît sur son visage. Est-il inquiet, agacé, amusé ? Impossible de le dire, on jurerait un robot. Alors, devrais-je être comme lui ?

— Désolée, monsieur Larochelle, mais je vous avoue franchement que je trouve ça un peu difficile. J'ai beaucoup de respect et d'estime pour monsieur Marsolais, si vous me permettez. Je l'apprécie et je trouve ardu de ne rien ressentir lorsque je le vois sans connaissance, le crâne fendu et couvert de sang !

— Je n'ai pas dit que vous ne deviez avoir aucune émotion. Vous pouvez ressentir ce que vous voulez, mademoiselle. Cela vous regarde. Mais vous ne devez pas laisser vos sentiments vous contrôler et vous ne devez pas les montrer. En ce moment, vous êtes submergée par vos émotions et on peut lire en vous comme dans un livre ouvert, mademoiselle Laforce. Et je tiens à vous dire que j'ai aussi de la considération pour monsieur Marsolais. Cela ne m'empêche pas de faire mon travail.

Je me sens hérissée. Je hais ce gars, même si une partie de moi l'admire pour ses habiletés exceptionnelles. S'il n'était pas aussi arrogant et difficile, je le respecterais tout autant que monsieur Marsolais. Mais sa façon de toujours pointer chacune de mes erreurs avec la précision d'un chirurgien m'agace. Comme si ça lui faisait réellement plaisir de me prendre en défaut et de m'humilier. Son attitude incroyablement dure à mon égard, sans la moindre compassion ou indulgence, m'énerve. Je sais bien que le métier d'espion est difficile, mais Vincent doit-il être aussi cruel envers moi? Après tout, je suis là pour apprendre, n'ai-je pas droit à l'erreur?

— Alors, je dois travailler sur le contrôle de soi, c'est ce que vous vouliez me montrer en me tapant dessus? lui dis-je, un peu plus bêtement que je l'aurais voulu.

Vincent plisse les yeux et pousse un soupir – ou un grognement –, je ne suis pas sûre.

— Je me doute bien que vous me détestez, mademoiselle Laforce, avoue-t-il enfin. Vous me trouvez certainement trop dur à votre égard. Je réalise que je peux paraître intransigeant, parfois. Mais dites-vous bien une chose : je le fais, car je sais que vous avez du potentiel et que ce n'est pas en vous traitant avec complaisance que je ferai de vous une bonne espionne. Mon travail est de vous former pour un emploi qui peut être particulièrement exigeant et dangereux. Dans ce genre de boulot, même une petite erreur peut s'avérer fatale. Alors, si je dois vous pousser jusqu'à vos derniers retranchements pour vous permettre de devenir la meilleure, je le ferai sans la moindre hésitation. Et si jamais vous échouez aux évaluations et que vous ne vous rendez pas jusqu'au bout de votre entraînement, c'est que vous n'aviez pas ce qu'il faut, c'est aussi simple que ça.

Encore une fois, ses arguments sont justes et son raisonnement, implacable. Je suis sidérée qu'il ait vu tous ces aspects de ma personne si facilement. Autant mes capacités que mes émotions. Mais au fond, est-ce si étonnant ? C'est vrai que j'ai toujours été de nature expressive. Pas autant que Laurence, c'est certain, mais je n'ai jamais tenté de cacher ce que je ressentais. À force de croire que Vincent n'avait pas d'émotions, j'ai fini par imaginer qu'il ne savait pas comprendre ou reconnaître celles des autres.

Mais force est d'admettre qu'au contraire, il lit très aisément dans mon esprit. Il a été entraîné pour ça. Plus étonnant encore, je crois que c'est la première fois que j'ai l'impression de reconnaître une forme de douceur dans sa voix. Son ton n'est pas aussi glacial que d'habitude et je crois y déceler de la gentillesse. Enfin, plus ou moins.

Je me souviens soudainement de la conversation que j'avais surprise entre lui et monsieur Marsolais, il y a quelques mois. Monsieur Marsolais avait parlé d'une erreur que Vincent avait commise lors d'une mission. Juste à sa réaction, on devinait que Vincent en avait honte et que c'était peut-être grave. Qu'est-ce que ça pouvait bien être ? Est-ce en partie à cause de cela qu'il est si exigeant ?

J'aurais bien envie de lui poser la question, mais je ne suis pas censée être au courant. Et je suis certaine que Vincent ne voudrait pas répondre à la question, de toute manière.

— D'accord, j'accepte que je doive mieux gérer mes émotions. Je sais bien que j'ai perdu patience l'autre jour, mais puis-je rappeler que Béatrice n'a pas été mieux que moi ? Pourquoi n'a-t-elle pas droit au même traitement ?

— Ne vous en faites pas, mademoiselle Thompson n'y échappera pas.

Eh bien, voilà au moins une bonne nouvelle dont je peux me réjouir un peu. Petite consolation.

Vincent s'approche de moi et me tend la main pour m'aider à me relever. Pendant une fraction de seconde, j'ai juste envie de le repousser. Mais je réprime mon désir et saisis sa main pour me mettre debout. Si je dois apprendre à maîtriser mes sentiments et passer par-dessus mes aversions, aussi bien commencer immédiatement.

— Que devrais-je faire pour gérer mes émotions, alors ?

— Il existe des exercices de détente et de relaxation qui permettent de faire le vide à l'intérieur de soi et de refréner ses sentiments. Ou du moins, de les tenir sous contrôle. J'ai quelques lectures aussi à vous suggérer. Je vous propose que nous alternions les exercices de relaxation et de combat une fois par mois.

Je reste interdite. Il veut que nous fassions cela ensemble ? Et moi qui pensais qu'il allait seulement me proposer des livres sur le sujet.

— *Nous* ?

— Bien sûr, la simple théorie ne saurait être suffisante. Nous allons donc procéder à des exercices pratiques, afin de vous tester et de voir si vous pouvez mettre vos nouvelles connaissances en application.

Je vais vraiment devoir suivre des cours privés avec Vincent? Beuh... Cela dit, si je peux arriver à surmonter ma répulsion à son égard et travailler avec lui, plus rien ne sera à mon épreuve. Un beau défi, comme dirait ma mère.

Allez, Ariel, tu peux y arriver!

CHAPITRE 6
Une surprise après l'autre

— Non! Pas de ce côté-là! hurle Ève-Marie.

Tout le monde sur le plateau de tournage sursaute au son de ce cri. Oh là là... Après une semaine, nous avons recommencé les tournages. Et ce n'est pas de tout repos. Celle qui vient de hurler, c'est Ève-Marie Deslauriers, une des actrices principales de la série qui incarne le personnage de Jade, une des meilleures amies de Maïka.

Justine n'avait pas un tempérament facile, mais sa collègue n'est pas beaucoup mieux. Son dernier caprice? Elle refuse de montrer son profil gauche à l'écran, car elle n'aime pas ce côté de son nez, qu'elle vient pourtant juste de faire refaire.

Est-ce parce qu'elle est mulâtre et trouve que son nez ne fait pas assez «caucasien»? Ève-Marie est pourtant une très belle femme. De taille moyenne, elle est plutôt mince et sa peau est d'un beau brun café au lait. Ses cheveux châtains sont frisés et longs et elle possède des lèvres pulpeuses à souhait ainsi qu'un intense regard noir, bordé de cils interminables.

Pourtant, il suffit que son fond de teint ne soit pas assez clair à son goût, qu'un t-shirt fasse soi-disant ressortir un bourrelet – sorti tout droit de son imagination, car elle n'a pas un gramme de graisse – et le tournage est suspendu jusqu'à ce qu'on lui propose des possibilités satisfaisantes. Ce qui peut prendre pas mal de temps et ralentir tout le tournage! On jurerait la tragédie du *Titanic*.

L'avantage, au moins, c'est que parfois, cela nous donne l'occasion de nous promener un peu sur les lieux et de faire du repérage. Bien sûr, on ne peut aller bien loin. J'ai même pu parler à Laurence quelques fois. Une chance, car sinon, nous perdons un temps de fou pour toutes sortes de raisons et d'imprévus. De temps à autre, quand nous ne pouvons pas nous promener et devons rester sur place, Guillaume s'amuse à m'envoyer des baisers discrets, des clins d'œil, des textos avec des cœurs ou des énigmes pour m'amuser et m'occuper l'esprit.

Il sait que j'adore ça et que ça me fait rire. Une fois, on a même réussi à se dissimuler dans un des rideaux inutilisés pour s'embrasser un peu, à l'abri des regards. Le fait de flirter avec le danger et d'aller à l'encontre des règlements a un petit quelque chose d'excitant. Surtout en sachant que Vincent serait furieux s'il l'apprenait, ce qui nous fait bien rire. Mais on fait attention et on demeure prudents.

Je tente parfois de découvrir s'il n'y aurait pas un objet insolite caché quelque part qui pourrait dissimuler un transistor suspect ou une caméra à l'allure anormale. Un défi, parmi les nombreux gadgets et accessoires que l'on trouve ici. N'empêche, être plongée dans ce milieu à la fois glamour et imaginaire est vraiment passionnant. J'ai par moments l'impression d'être à Hollywood! Bon, il n'y a pas Ryan Reynolds ni Scarlett Johansson, mais on s'y croirait presque.

J'adore regarder le metteur en scène discuter avec l'éclairagiste du meilleur angle à donner à une lampe, ou la maquilleuse poser la dernière touche sur Justine avec une minutie digne des agents du SCRS lorsqu'ils désamorcent une bombe. J'ignorais que de tourner une série télévisée comme celle-ci pouvait demander autant de travail et de soin. Ça semble si simple et naturel quand on regarde ça sur notre téléviseur.

Je tente aussi d'observer le comportement des comédiens lorsque c'est possible, à la recherche d'un indice. Car j'essaie de ne pas me laisser distraire de mon objectif: dénicher et observer, par tous les moyens possibles, notre espion qui veut mettre la main sur des renseignements mystérieux, mais sûrement importants.

Mais je remarque que de percer les pensées d'acteurs professionnels s'avère plus difficile que prévu. Ils sont vraiment des experts quand vient le temps de simuler une émotion ou de cacher ce qui se passe dans leur tête. J'aurais peut-être à en apprendre à ce sujet de leur part, d'ailleurs.

Les plateaux de tournage sont le lieu de multiples rebondissements et de surprises en tous genres.

Pas plus tard qu'hier, en plein milieu du dîner, alors qu'elle grignotait une salade, Justine a soudainement éclaté en sanglots sans la moindre raison. Tout le monde – figurants, preneurs de son, dialoguistes – s'est arrêté brusquement, mâchoire ouverte sur le sandwich, ou cuillère de soupe suspendue, atterré et abasourdi. Qu'est-ce qui lui prenait tout à coup? Les tomates n'étaient pas assez fraîches? Le chef s'était trompé et avait mis trois cuillerées d'huile d'olive au lieu de quatre dans son plat? Ou alors, peut-être venait-elle d'apprendre une terrible nouvelle à propos de son Shih Tzu, Princesse Mulan?

À la grande surprise de tous, Justine a cessé de pleurer tout aussi subitement qu'elle avait commencé et s'est remise à manger sa salade comme si de rien n'était.

— Alors? C'était bien? demanda-t-elle à tous avec un grand sourire.

Bien? C'était mieux que bien, c'était tout à fait renversant! On y a tous cru. Tout le monde était convaincu que quelque chose de grave venait de lui arriver. Mais non, elle répétait seulement sa prochaine scène dans laquelle Maïka avouait à l'une de ses amies qu'elle entretenait une liaison clandestine avec Adrien Rex Jr. Seulement, elle l'avait fait avec tant de discrétion pendant le dîner que personne n'avait remarqué qu'elle répétait, jusqu'à ce qu'elle se mette à pleurer. Complètement ahurissant de voir la facilité avec laquelle les acteurs revêtent une nouvelle personnalité et des sentiments comme on enfilerait un manteau d'hiver.

J'ai parfois l'impression d'être dans un univers parallèle vaguement surréaliste.

Le très beau Jean-Philippe Langlois, qui joue le personnage à la fois charismatique et ténébreux d'Adrien, a, quant à lui, toute une réputation. Apparemment, il est doté d'un charisme exceptionnel et un nombre impressionnant de jeunes comédiennes et de figurantes ont succombé à ses charmes!... Mais vu que je n'ai pas eu à jouer de scènes avec lui, je ne peux juger de la véracité de ces rumeurs.

En revanche, je trouve que Maxime Séguin, qui incarne Laurent, le premier copain de Maïka avec qui elle vient de rompre dans la série, est plutôt étrange. Il passe le plus clair de son temps dans sa loge. Qu'y fait-il, tout ce temps? Lire ses textes? Souvent, il n'en sort que quand il est temps de tourner. Et, pour être honnête, il a souvent une expression à la fois renfermée et sinistre. Je trouve qu'il a le comportement d'une personne qui tente de se cacher à tout prix. Il vaut mieux garder un œil dessus.

En fait, celle qui semble la plus normale et aimable, c'est Alyssa Rondeau, qui joue la timide Marie-Christine. Elle est discrète, parle peu et se cache souvent dans sa loge, mais elle est simple, enjouée et gentille en général. Le plus étonnant, c'est qu'elle semble s'entendre à merveille avec Vincent, qui rit et fait même des blagues avec elle! De temps à autre, il se montre également très aimable avec Laurence, mais, même si elle l'a trouvé mignon – berk! –, rien ne pourrait la détourner de son nouveau copain, le beau Jeff. C'est un membre du club de musique dans lequel Laurence joue, et les deux sont tombés amoureux il y a environ un mois.

Je ne sais pas comment Alyssa a fait, mais on dirait qu'elle a réussi à percer sa carapace d'acier inoxydable et à le rendre vaguement humain. Tout simplement incroyable, cette fille. Encore plus étonnant, on dirait que Princesse Mulan s'est attachée à Vincent, qu'elle quitte à peine. Ce dernier lui donne même des gâteries et la prend dans ses bras. Renversant.

Le reste du temps, alors que nous attendons que la scène avec Ève-Marie se poursuive, nous sommes assez occupés.

Je passe le plus clair de mon temps à simuler des parties de Nintendo DS, pendant les scènes, répétées encore et encore. Parfois, jusqu'à huit heures d'affilée! Je ne pensais pas dire cela un jour, mais c'est assez pour me dégoûter de ce jeu pendant une bonne période, je crois. Geuh... et la vie de comédien, c'est incroyablement répétitif. Reprendre les mêmes phrases des dizaines de fois, en changeant une intonation par-ci, un mouvement de tête par-là, c'est un peu abrutissant. Je devrais même suggérer au SCRS d'utiliser des méthodes du genre la prochaine fois qu'ils auront besoin d'avoir recours à la torture mentale lors d'un interrogatoire. Je parie que ça fonctionnerait à merveille.

En attendant, comme je le prévoyais, Laurence a passé son évaluation haut la main. La chef coiffeuse a donc accepté de la prendre comme stagiaire. Heureusement pour moi, Laurence n'est pas présente tous les jours du tournage. Après tout, elle a encore de l'école. Il lui reste deux mois et demi d'études avant de finir le secondaire et obtenir son diplôme.

Si elle en arrivait à négliger ses études, alors qu'elle a presque terminé, et que sa moyenne baissait d'à peine un pour cent, je crois que sa mère lui ferait une crise de nerfs digne de *Gossip girl*.

Dire que si j'allais encore à l'école régulière, j'aurais presque terminé et j'obtiendrais mon diplôme dans peu de temps pour aller au cégep. Mais dans mon collège, je suis une débutante, une *rookie*. Rien qu'à voir la manière dont Vincent me traite, d'ailleurs, c'est évident.

Quand en saura-t-on davantage pour dénicher notre fameux espion? Il faut être patient, comme le rappelle inlassablement monsieur Marsolais. En attendant, ce dernier a réussi un coup de maître. Il a installé secrètement un logiciel enregistreur de frappes sur l'ordinateur fautif. Bon, ça ne nous donnera pas l'identité exacte du coupable, mais cela permet de connaître tous les sites web visités et tout ce qui a été tapé sur le clavier. En quelques touches à peine, nous parviendrons à identifier les activités précises effectuées sur cet appareil. Cela nous permettra même de savoir ce que notre espion recherche exactement.

Pour l'instant, nous attendons que le réalisateur s'entende avec Ève-Marie Deslauriers sur l'angle précis qu'il peut utiliser afin de montrer le côté gauche de cette dernière à l'écran. Je sens que le tournage de cette scène sera encore interminable. Pfff...

***

Deux jours plus tard, retour au collège. Malgré la mission, nos devoirs n'attendent pas et nous devons continuer d'étudier si nous devons devenir de vrais professionnels.

Nouvelle évaluation à passer. L'une des nombreuses auxquelles nous avons droit. Mais comme c'est souvent le cas, personne ne passe son test en même temps et celui-ci s'étale donc sur toute la semaine.

L'examen ? Impossible de savoir dans l'immédiat en quoi il consiste. Est-ce un travail individuel ou d'équipe ? Fera-t-il appel davantage à nos habiletés physiques ou mentales ? Bien sûr, les premiers à l'avoir passé ne peuvent rien dire aux autres, sous peine d'expulsion. Nos enseignants aiment entretenir le mystère, comme d'habitude. Rien n'est fait de manière classique, dans cette école. Tout ce que nous savons, c'est que nous avons tous reçu un papier dans une enveloppe. Chaque personne a pour consigne de l'ouvrir à un jour et une heure précise.

Moi, je dois ouvrir mon enveloppe avec mes instructions ce soir, à vingt et une heures. Dans trois heures environ. Je suis impatiente. Que me réserve cette évaluation ?

Les heures s'écoulent et je tente de continuer à faire mes devoirs habituels, en attendant d'avoir ma réponse. En tout cas, si c'est pour tester la patience, ça fonctionne. J'ai beau tenter de me concentrer sur le devoir de monsieur Vézina – il s'agit de repérer, dans un enregistrement vidéo, les signes qu'un suspect interrogé ment, par l'analyse vocale et de « micro-expressions » faciales – je n'y parviens pas.

Je ne cesse de jeter des regards à l'enveloppe posée sur mon bureau. Les professeurs peuvent-ils vraiment savoir si je n'attends pas à l'heure inscrite sur l'enveloppe pour l'ouvrir ? Est-ce qu'une alarme se déclencherait si je la décachetais avant vingt et une heures ?

Hum... connaissant ce collège et ce qui s'y déroule – rien n'y passe jamais inaperçu, comme je l'ai déjà appris – je crois que j'ai intérêt à ne pas prendre de risques. Je commence bien à comprendre, maintenant, que rien de ce que nous faisons dans une école pour futurs espions n'échappe à la vigilance des enseignants et de la direction. Nous sommes constamment surveillés. Ce n'est pas aujourd'hui que je trouverai le moyen de contourner les moyens de surveillance des professeurs.

J'attends donc le plus patiemment possible l'heure H.

Vingt et une heures arrivent enfin !

J'ai juste envie de me jeter sur l'enveloppe qui m'attend – mais puisqu'on m'observe probablement, j'essaie d'avoir l'air *cool* et prends mon temps – avant de l'ouvrir enfin. J'extirpe le papier qui se trouve à l'intérieur, les mains légèrement tremblantes.

Nom de l'élève : Ariel Laforce
Examen du : 22 avril, à 21 h.
Tâches :
- Aller au point A, indiqué sur la carte, dans l'enveloppe.
- Avec l'aide de vos coéquipiers, accéder au point B avec des outils fournis sur place.
- Prendre le CD nº 23 et le rapporter.
- Quitter les lieux en toute sécurité.
- Aller au point C, indiqué sur la carte.
Temps octroyé : 45 minutes.

Hum... plus cryptique que ça, tu meurs ! Je regarde à l'intérieur de l'enveloppe, à la recherche de la fameuse carte qui contient vraisemblablement la majorité des renseignements. Mais l'enveloppe est vide ! Absolument aucun indice à l'intérieur. Comment est-ce possible ? La carte serait-elle restée collée au papier contenant les instructions ? Non, et rien au verso. Est-elle tombée par terre ? Non, j'ai beau scruter le sol et fouiller sous mes meubles, rien à faire. Cette fichue carte est introuvable. Je m'énerve. Je suis en train de perdre un temps précieux.

Voyons, réfléchis, Ariel. Elle ne peut pas être bien loin. Et comme je connais nos enseignants, il y a une attrape quelque part, mais ils n'ont certainement pas oublié de glisser le plan dans l'enveloppe. Ils ont le souci du détail et rien n'est laissé au hasard. Comme d'habitude, chaque partie de l'examen est planifiée avec minutie. À moi de réfléchir et de trouver.

Je relis les instructions du papier en question.

« Aller au point A, indiqué sur la carte, dans l'enveloppe. »

La carte... dans l'enveloppe ? DANS l'enveloppe ! Et si ? Et si c'était le coup classique ?

Je me dirige à toute vitesse vers mon pupitre d'où je sors un flacon. Un outil de base que nous devons tous posséder. Avec précautions, je prends un tampon et le mouille légèrement dans le liquide de la fiole. Je badigeonne soigneusement l'intérieur de l'enveloppe avec le tampon humide.

Et voilà !

Une carte à l'encre invisible, à l'intérieur de l'enveloppe elle-même. Bien sûr ! Un classique en espionnage, pour lequel on nous a formés, même si ce procédé est devenu plutôt désuet. Comme quoi un retour aux bonnes vieilles méthodes est toujours possible. Heureusement que je n'ai pas déchiré l'enveloppe en morceaux. Comme d'habitude, il faut lire les consignes très attentivement, tout est là. Seulement, il ne faut rien assumer et penser que tout est possible et, surtout, que nous devons nous débrouiller devant les imprévus.

«Système D», comme dirait mon père.

J'observe le fameux plan. Le point A se trouve à l'extérieur, derrière le collège, du côté nord de l'édifice. Tout près de la cafétéria, on dirait. J'enfile mes vêtements d'extérieur à toute vitesse pour y aller.

Rapidement, je sors et me dirige vers le point A sur la carte. Le point C est bien visible lui aussi, mais pas le point B. Bon, il est sûrement identifié ailleurs. Mais où? Espérons que je le trouverai une fois sur place. En relisant le papier, je vois qu'il est aussi question de coéquipiers. Qui sont-ils et combien seront-ils?

J'arrive enfin à l'endroit indiqué. Plusieurs surprises m'y attendent. D'abord, je ne suis pas seule. Lorie-Catherine Biron et Kevin s'y trouvent. Ils ont visiblement été plus rapides que moi pour découvrir l'astuce. Ce qui n'est pas très étonnant, puisque ce sont deux *geeks* de première classe, ces deux-là. Est-ce tout? D'autres élèves doivent-ils venir nous rejoindre? Combien de temps devrons-nous attendre avant d'être fixés? Après tout, nous avons un temps limite pour faire notre test, donc on ne peut attendre trop longtemps, non?

— Savez-vous où se trouve le fameux point B où nous devons aller ? dis-je.

Kevin lève la tête et pointe du doigt quelque chose au-dessus de nous. Je regarde et m'aperçois alors que sur la fenêtre de l'un des bureaux d'enseignants, au deuxième étage, une grosse lettre B est collée sur la vitre. Eh bien, on dirait que j'ai ma réponse.

Mais comment sommes-nous censés nous rendre là, au juste ?

Au moment où la question me traverse l'esprit, je remarque trois cordes d'alpinisme, munies de grappins et enroulées par terre, avec des harnais, juste en dessous de la fenêtre en question. Également trois ensembles contenant un aérosol fumigène, des pinces, une lampe de poche et un détecteur de caméras cachées. S'agit-il des « outils fournis sur place », comme disait le carton d'instructions ?

Je jette un œil interloqué à mes deux compagnons. Nous devons vraiment grimper jusqu'au deuxième étage avec ces câbles ? J'adore l'escalade, mais je n'ai pas le meilleur des équipements à portée de la main en ce moment. Et pas le temps d'aller chercher mes chaussures conçues pour cela. Je perdrais des minutes trop précieuses.

Kevin et Lorie-Catherine me confirment d'un mouvement de tête que j'ai bien saisi la situation. Au moins, le nombre de cordes m'indique que nous sommes probablement tous présents et que nous n'avons pas besoin d'attendre d'autres élèves.

Il faut donc passer à l'étape suivante.

— Comment voulez-vous procéder? demande Lorie-Catherine, en regardant les câbles à travers ses lunettes à fonds de bouteille.

— Je suggère que nous ne grimpions pas tous en même temps, propose Kevin. Cela nous évitera de nous nuire mutuellement, et si l'un de nous fait une chute, les autres peuvent essayer de l'aider ou de le rattraper.

— Excellente idée, Kevin, dis-je. Reste à réussir à lancer les trois cordes en haut, de manière à agripper le rebord de la fenêtre.

Hum... nous avions pratiqué cela deux ou trois fois dans nos cours d'escalade, dans le cadre du cours d'éducation physique, mais la moitié de la classe a mis près d'une demi-heure à lancer son grappin avant de réussir à attraper quoi que ce soit. C'est une méthode très difficile, et ce n'est pas rassurant d'avoir à l'utiliser dans ce contexte, surtout avec un chronomètre qui égrène les minutes, en plus.

Puisque c'est moi la plus forte physiquement – ce qui démontre le peu d'aptitudes sportives de mes coéquipiers, même s'ils ont d'autres qualités – je suis déléguée, pour le moment du moins, au lancer des cordes. Je prends le premier câble et, après l'avoir fait tournoyer à côté de moi, je le lance en direction de la fenêtre.

Raté! Bien entendu. Réussir du premier coup aurait été étonnant.

Je recommence, mais je dois avouer que je ne suis pas très douée. Accrocher le grappin sur un rebord aussi mince et aucunement conçu dans cette optique n'est pas évident. De plus, le câble est très lourd et il fait noir, alors on n'y voit pas très bien. Après quelques essais et être passée à deux doigts de recevoir le grappin sur la tête à quelques reprises, je commence à me décourager.

J'ai mal aux épaules et aux bras. Le temps s'écoule et je me sens de plus en plus stressée. Même s'il ne fait pas très chaud dehors, je me mets à transpirer. Et si nous n'y arrivons pas? Peut-on trouver une autre méthode pour se rendre au point B? Les instructions mentionnent bien «accéder au point B à l'aide des outils fournis sur place». Cela exclut les possibilités d'avoir recours à un autre moyen.

Au moment où, par dépit, Kevin me propose d'essayer, je réussis à accrocher le grappin au rebord de la fenêtre! Victoire!

Il était temps, car j'ai dû perdre un bon dix ou quinze minutes là-dessus.

Au moment où je pense me réjouir, Lorie-Catherine soulève un point.

— Comment allons-nous réussir à mettre tous les grappins en haut à temps? Ça a été si long pour mettre le premier, on n'y arrivera jamais dans le délai prévu. Et puis, je pense que nous ne pourrons pas monter en même temps de toute manière.

Zut, elle a raison. On n'arrivera jamais à faire cela. Même si le carton ne mentionne pas explicitement que nous devons tous grimper, cela ne veut pas dire que ces instructions ne s'appliquent pas à tous. Y a-t-il une façon de faire qui nous permettrait de tous monter là-haut, dans un délai raisonnable et en respectant les consignes?

— J'ai une idée! dit Kevin. Attendez-moi ici, je vais vous arranger ça.

Aussitôt, il s'agrippe solidement à la corde accrochée au rebord de la fenêtre, installe le harnais pour se sécuriser et pose ses semelles au mur de briques. Il monte alors jusqu'au bord de la fenêtre, tout en essayant de se dépêcher. Pas facile, car, en plus, ce dernier est en partie recouvert de vignes desséchées, qui rendent la surface glissante. Combien de temps nous reste-t-il? Une vingtaine de minutes, tout au plus. Espérons que, là-haut, nous ne rencontrerons pas trop d'obstacles.

— Alors? Que fait-on maintenant? demande Lorie-Catherine.

Excellente question, mon cher Watson.

— Kevin, que vois-tu ?

Kevin me fait signe d'attendre. Tant qu'il n'est pas certain de l'absence de détecteur de son, il doit maintenir le silence radio. Il examine la vitre attentivement.

— Je ne vois rien de particulier, dit-il. Aucun indice de système d'alarme, tout paraît beau.

Aussitôt, Kevin prend son porte-clés et, à l'aide d'un genre de couteau suisse qui y est accroché – un must dans notre arsenal d'espions à traîner en tout temps – il sort une minilame à pointe en diamant. Rapidement, en se tenant d'une main sur le bord de la fenêtre, il découpe un cercle dans la vitre. Kevin prend une ventouse, la colle sur le cercle découpé et tire. Le trou est fait. Il n'a plus qu'à glisser sa main à l'intérieur et déverrouiller la fenêtre. Il entre alors prudemment, sûrement pour chercher des pièges potentiels de toutes sortes : laser, détecteur de mouvement ou de chaleur. Il ressort ensuite la tête.

— Lancez-moi une autre corde avec le grappin ! Je vais l'accrocher au rebord de la fenêtre pour que vous puissiez monter en même temps. Ce sera plus rapide.

Bien sûr, excellente idée ! Pourquoi se casser la tête à lancer les autres grappins d'en bas quand on a un moyen si simple ? Aussitôt dit, aussitôt fait.

— Commence à regarder dans le local, Kevin, lui dis-je. On arrive.

Lorie-Catherine prend les devants en s'emparant de la corde de Kevin. Enfin, elle essaie. La pauvre n'a pas pris de très bonnes chaussures, en plus de ne pas être des plus athlétiques. Il vaut mieux que je reste derrière, mais pas trop loin. Je grimpe à mon tour, en gardant une certaine distance. Je tente de contourner les vignes, car elles nuisent sérieusement à notre ascension. Décidément, nos enseignants adorent nous causer un max de problèmes lors des évaluations.

Tranquillement, nous montons. Lorie-Catherine se balance de tous les côtés et perd souvent pied. Elle souffle bruyamment. Elle a clairement été recrutée pour ses habiletés mentales. Elle avait beau être excellente lors des simulations de jeux vidéo ayant servi à recruter les élèves, la réalité, ce n'est pas la même chose.

Sa corde balance et craque étrangement. Je n'aime pas tellement ça. Malgré les faiblesses de Lorie-Catherine, je trouve anormal qu'elle ait autant de mal. Et Kevin ? Comment va-t-il ? J'aimerais le lui demander, mais je suis loin et je ne veux pas risquer de le déconcentrer pendant un moment délicat.

Au même instant, un autre craquement, plus fort celui-là, se fait entendre. Lorie-Catherine lâche un cri. Je lève la tête. Sa corde, à l'endroit où elle frotte sur le rebord de la fenêtre, est presque déchirée !

Qu'est-ce que c'est que ça? Les professeurs n'auraient quand même pas fait exprès de fournir un câble défectueux?

La corde lâche et se déroule à toute vitesse en ondulant comme un serpent à côté de moi!

Lorie-Catherine hurle et tente de s'accrocher tant bien que mal à quelque chose. Elle s'agrippe aux vignes, mais celles-ci se rompent sous son poids et ne font que ralentir un peu sa chute. Elle va me tomber dessus!

— Lorie-Catherine, accroche-toi!

Je donne un coup de pied sur la paroi pour me déplacer vers la gauche. Je bloque ensuite mes pieds fermement contre le mur et fléchis les genoux.

J'essaie d'attraper Lorie-Catherine par le bord de son pantalon au moment où elle passe tout près et la tire vers moi, pour la retenir un peu. Ce faisant, cela ralentit sa chute et elle réussit à saisir ma corde! Mais, déstabilisées, nous nous mettons à tournoyer toutes les deux et Lorie-Catherine me balance alors un coup de genou en plein front! Ma tête tourne, je vois des étoiles et je commence à glisser aussi sur ma corde, mais je me tiens fermement pour ne pas tomber.

— Oh non! Désolée, Ariel.

— Tenez bon, les filles! lance Kevin, d'en haut.

Au cri de Lorie-Catherine, il s'est précipité à la fenêtre, a attrapé la corde et tente tant bien que mal de la retenir pour que nous cessions de nous balancer comme un pendule. Finalement, nous parvenons à nous stabiliser.

— Ça va ? demande Kevin.

— Oui, ça va. Continue de chercher dans le local, Kevin. On arrive. Ça va, Lorie-Catherine ?

— J'ai connu mieux. Mais ça va.

Kevin retourne à l'intérieur alors que nous poursuivons notre ascension. J'ai eu chaud. Je n'en reviens pas que la corde ait cédé. C'est vraiment très dangereux, ce test. Et vraiment très étrange aussi.

Nous arrivons enfin en haut. Nous sommes vannées et avons mal partout. J'ai vraiment le don de recevoir des coups sur la tête, ces temps-ci. Je m'en souviendrai, de ce test !

— As-tu trouvé ? demande Lorie-Catherine à Kevin.

— Non, toujours rien. Venez m'aider ! Il ne reste plus beaucoup de temps.

Du premier coup d'œil, je reconnais le bureau de madame McDowell. Connaissant notre enseignante d'observation, je parie qu'il y a encore de quoi se méfier. Mais pendant que Lorie-Catherine et Kevin continuent leurs recherches, j'examine les cordes et la fenêtre. C'est alors que je remarque que, sous le rebord, un objet contondant dépasse légèrement. Curieux, on dirait un genre de lame de rasoir, collée là. En plus, elle est très tranchante. Le câble utilisé par Kevin et Lorie-Catherine a frotté dessus alors qu'ils montaient, ce qui explique pourquoi il a cédé. Quant à moi, le fait de m'être déplacée pour éviter les vignes a fait en sorte que ma corde n'y a pas touché du tout.

Nos professeurs aiment bien nous créer des obstacles lors de nos examens, mais ils ne mettraient pas notre vie en danger ! C'est très louche, ça. Je saisis mon cellulaire et prends une photo de la lame. Ça peut servir.

— J'ai trouvé le CD n° 23, annonce Lorie-Catherine. Vite, il ne nous reste que sept minutes pour redescendre et aller au point C !

— Attends ! dit Kevin.

Trop tard ! Lorie-Catherine a pris le CD du boîtier sans vérifier qu'il n'y avait rien qui le protégeait. Un bruit de déflagration se fait entendre et, au même moment, un nuage de poudre orange explose et englobe Lorie-Catherine ! Le CD était bel et bien piégé !

Oh non, c'est pas vrai !

— Lorie-Catherine, ça va ? demande Kevin, sans oser s'approcher.

Le nuage se dissipe légèrement. La pauvre Lorie-Catherine est entièrement orange, des pieds à la tête !

— Oh non, qu'est-ce que j'ai fait ? s'écrie-t-elle.

— Tant pis, il faut y aller, réponds-je. Il ne nous reste plus beaucoup de temps. On fera avec, Lorie-Catherine.

— Et si on sortait par la porte ? propose Kevin. Le point C se trouve dans le local de la radio étudiante. Ce serait plus rapide ainsi.

Nous ne nous ferons pas attraper une deuxième fois et examinons la porte avant. Évidemment, elle est aussi piégée, par une ficelle reliée à un système d'alarme. La couper ne nous tirera pas nécessairement d'affaire. Il faudrait désarmer le système. Trop compliqué, nous devons redescendre par la fenêtre. Je prends alors mon foulard et l'enroule autour de la corde, pour la protéger de la lame de rasoir.

— Lorie-Catherine, tu descendras en dernier, cela évitera de tous nous tacher, d'accord ?

— D'accord, Ariel.

Kevin retourne rapidement en bas, je le suis de très près. Vient ensuite Lorie-Catherine. Par chance, redescendre est bien plus rapide. Il ne nous reste que quelques minutes ! Nous devons nous rendre à la radio étudiante en vitesse ! Et, bien sûr, aucune porte d'entrée tout près !

Qu'est-ce qui nous attend là-bas, je n'en sais rien, et pour être honnête, je m'en fous ! Kevin, Lorie-Catherine et moi-même galopons pour faire le tour du collège, retourner à l'intérieur et traverser les corridors déserts à toute vitesse. Plus qu'une minute!

Vite, nous entrons dans le local, sans même vérifier s'il y a des détecteurs de mouvement ou d'autres pièges. Nous voyons alors madame McDowell et monsieur Vézina qui nous y attendent, assis sur des chaises et installés devant un poste d'observation muni de plusieurs écrans de télévision, sur lesquels ils ont regardé notre test.

À voir leur expression sombre lorsqu'ils nous voient entrer, je me doute que quelque chose ne va pas.

— Bravo, vous avez accompli votre mission dans le temps imparti, dit simplement monsieur Vézina en tendant la main pour prendre le CD. Maintenant, vous avez terminé. Je vous recommande de retourner dans vos chambres et de vous reposer. Nous examinerons en détail les vidéos de votre test pour vous donner votre note finale. Inutile de vous dire, mademoiselle Biron, que vous devriez prendre une douche et laver vos vêtements au plus vite. Et éviter de toucher quoi que ce soit, pour ne pas tout salir.

Mes coéquipiers et moi sommes perplexes. Avons-nous réussi? Rien n'est moins sûr. Nous avons omis de vérifier plusieurs fois la sécurité des lieux ou des objets. Cela pardonne rarement. Alors que Kevin et Lorie-Catherine retournent dans leur chambre, je m'approche de madame McDowell et de monsieur Vézina. Ils doivent savoir exactement ce qui s'est passé, je suis certaine que cette lame n'a pas été installée par les enseignants.

— Heu... madame McDowell, monsieur Vézina ? J'aurais quelque chose à vous montrer.

***

La photo que j'ai prise de la lame de rasoir a eu l'effet d'une bombe. Les professeurs, en nous observant en direct sur leurs écrans lors du test, se doutaient que quelque chose ne tournait pas rond, mais ils n'avaient pas tout vu. D'où leur expression sombre lorsqu'ils nous ont accueillis.

Ils sont formels : ce ne sont pas les enseignants qui ont mis cette lame. Je m'en doutais. Pire encore, ils se sont aperçus qu'un élève, avec un des ordinateurs de la salle commune des résidences – impossible de savoir qui, bien sûr – est parvenu à entrer dans le système informatique du secrétariat et a sans doute eu accès aux horaires des examens. Quelqu'un savait que c'était notre tour ! Serait-ce Béatrice ? Voudrait-elle me nuire à ce point ? Serait-elle allée aussi loin ?

Franchement, je ne sais pas trop. Les professeurs sont très troublés, car il y aurait pu y avoir des conséquences graves. Ils admettent du même coup que Kevin, Lorie-Catherine et moi avons commis quelques erreurs, mais ont décidé d'être plus cléments, étant donné ce qui nous est arrivé. Car nous avons commis plusieurs bévues sérieuses – celle de Lorie-Catherine, en particulier – qui auraient pu nous coûter très cher, à savoir d'être exclus du programme. Mais je ne sais pas ce qu'ils vont faire à l'avenir.

Ils ont informé tous les étudiants et ont promis que s'ils trouvaient le coupable, celui-ci serait expulsé illico du collège. C'est à suivre.

***

Quelques jours plus tard, nous retournons sur les lieux du plateau de tournage. Les choses commencent à se corser quelque peu. Avant de repartir en direction de Montréal, monsieur Marsolais m'a convoquée dans son bureau, en privé.

— Ariel, le SCRS m'a demandé de te transmettre une consigne bien particulière. Les choses commencent à bouger de plus en plus vite et il semblerait que notre espion a commencé à être plus agressif. Il est parvenu à entrer une fois dans le système informatique de la Défense nationale il y a deux jours. On sent qu'il va se passer quelque chose, mais on ne sait pas quoi encore. Nous avons examiné et fouillé à distance les ordinateurs de Jean-Philippe et de Maxime, et notre «facteur» s'en est servi pour espionner les ordinateurs du SCRS et de la Défense nationale. Nous soupçonnons de plus en plus l'un des deux d'être notre homme, car ils sont les seuls, parmi les acteurs, à avoir des compétences en informatique.

— D'accord, et que puis-je faire pour vous?

— Ton amie Laurence travaille bel et bien avec la chef coiffeuse, n'est-ce pas?

— Oui, c'est exact.

— Ce que je te demande là sera un peu difficile, mais nous aimerions utiliser le téléphone cellulaire de ton amie pour écouter les conversations des acteurs lorsqu'ils sont avec elle.

Quoi!? C'est une blague? Ils veulent utiliser ma copine pour espionner? À son insu?

— Je réalise que c'est une demande plutôt spéciale et que ce n'est peut-être pas facile, mais nous ne le demanderions pas si ce n'était pas nécessaire. Malheureusement, il nous est plutôt difficile d'observer les suspects dans cet environnement très sécurisé, comme tu l'as constaté, et nous devons trouver d'autres moyens. Même si nous sommes équipés de caméras et de micros, nous n'avons pas accès à tout ni en tout temps.

Je suis à la fois estomaquée et horriblement mal à l'aise. Je sais bien que les enjeux sont sans doute élevés, mais je ne me sens pas bien là-dedans. On m'avait dit que je devrais mentir ou cacher des choses à mon entourage, mais pas l'utiliser de la sorte. J'ai l'impression d'abuser de ma *best*.

— Pourquoi le cellulaire de Laurence plutôt qu'un autre ?

— Tu sais, lorsque les acteurs sont dans de bonnes dispositions, avec les maquilleuses ou les coiffeuses, ils se détendent et se laissent plus facilement aller, en quelque sorte. Ils sont parfois plus ouverts, plus bavards. Peut-être pourrions-nous apprendre quelque chose, même si notre homme n'avouera pas directement être un agent. Nous allons tenter de faire la même chose avec les téléphones des autres coiffeuses et des maquilleuses.

— Il n'y a vraiment pas d'autres moyens ?

— Je sais que c'est beaucoup te demander, Ariel. Tu dois avoir l'impression que nous utilisons ton amie comme un simple outil, n'est-ce pas ? Je te rassure, nous avons obtenu une permission expresse d'un juge pour cela, mais nous devons nous plier à des conditions strictes pour nous assurer que tout reste légal et qu'il n'y a pas de dérapages. Nous ne pouvons espionner des civils sans une telle autorisation. Si cela peut te rassurer, nous n'utiliserons la fonction d'écoute de son téléphone que lorsqu'elle sera avec des acteurs. Le reste du temps, nous allons respecter sa vie privée. Nous tenons à limiter autant que possible l'intrusion dans la vie des gens, tu sais. Et ce n'est que la dernière des options. Pas question pour le SRCS d'écouter ce qui se passe dans la vie de Laurence lorsqu'elle ne sera pas sur le plateau. J'y veillerai personnellement, s'il le faut.

Je sais que, lors de missions, nous devons obéir sans poser de questions, mais c'est plus difficile que je le croyais. J'ai le choix, mais les deux options sont difficiles. Les arguments de monsieur Marsolais achèvent de me convaincre, mais je me sens quand même très réticente.

— Si vous me promettez de surveiller cela de près vous-même, pour qu'on respecte la vie privée de Laurence, d'accord.

— Merci, Ariel. Tu veux bien me donner ton téléphone cellulaire?

— Pourquoi?

— Pour ce faire, nous utilisons un programme spécial qui activera une fonction d'écoute permanente sur le téléphone de Laurence. Juste à lui envoyer un texto contenant ce programme et ce dernier sera installé sur son cellulaire. Mais ce serait plus simple si cela venait de ton appareil à toi, car si le texto venait d'un numéro inconnu, elle risque de se méfier.

Bien sûr, pourquoi ne suis-je pas étonnée ? Je tends mon cellulaire à contrecœur à monsieur Marsolais pour qu'il puisse procéder. J'ai l'impression de trahir doublement mon amie. Vit-on des dilemmes aussi fréquemment dans ce travail ? J'espère que ça n'arrivera pas trop souvent.

CHAPITRE 7
La situation se corse

Une semaine plus tard, nous voici déjà au mois de mai. Mine de rien, l'examen de fin d'année approche à grands pas et la charge de nos devoirs a augmenté. Je ne croyais pas cela possible, car nous sommes déjà submergés de travail, et pourtant, ça l'est. Et toujours pas de nouvelles du sabotage mystérieux de la dernière évaluation. Je suppose que les enseignants continuent d'enquêter à ce sujet. Ça, ou alors ils attendent que le coupable agisse à nouveau pour le pincer sur le fait.

Depuis quelque temps, je lis sur la méditation et les exercices de respiration. Je tente de mettre en pratique des entraînements pour me calmer. Je me suis exercée une fois avec Vincent, dans le gymnase, et je dois dire que je me suis surprise moi-même. J'ai réussi à conserver mon calme la majorité du temps, malgré les quelques coups de palette de Vincent quand je ratais ma cible. Ce n'était pas facile, mais je crois que je m'améliore déjà. Bon, je reçois presque autant de coups qu'avant, mais au moins, je garde mon calme.

Lundi matin, Marilou et moi sommes réveillées par notre cellulaire respectif qui vibre en même temps. Un texto vient d'entrer. Nous relevons la tête simultanément et regardons chacune notre téléphone.

Code jaune.
Bureau de monsieur Frost à 8 h.

Je bondis sur mes pieds. Oh oh... monsieur Marsolais m'avait bien dit qu'il se passerait quelque chose bientôt et que notre espion agirait. Qu'est-il arrivé ?

À l'heure prévue, Guillaume, Marilou, Béatrice, Vincent, monsieur Marsolais et moi allons au bureau de monsieur Frost. Il y a de la tension dans l'air. Tout le monde se doute qu'un événement sérieux est arrivé.

Dès que nous sommes tous présents, monsieur Frost annonce de but en blanc :

— Notre « facteur » vient de passer à l'action. Et ça pourrait n'être que le début.

Rien qu'à son ton, on devine que c'est sérieux. Je ressens cela comme une critique, un échec, même si je sais que monsieur Frost ne l'entend pas de cette manière. Il sait que nous avons fait de notre mieux étant donné les circonstances et que nous ne sommes pas à blâmer. De plus, les agents du SCRS travaillent là-dessus eux aussi. Malgré tout, l'espion est parvenu à dérober quelque chose, mais quoi ? J'aurais aimé attraper notre homme avant qu'il ne réussisse à faire quoi que ce soit. Monsieur Frost poursuit :

— Il a infiltré le système informatique du SCSR et du ministère de la Défense nationale, même si nous avions mis une équipe de programmeurs et de techniciens pour surveiller et protéger les bases de données.

— Savez-vous ce qu'il a fait ? demande Guillaume.

— Nous sommes chanceux, en quelque sorte, car notre équipe a pu le bloquer assez rapidement, mais pas assez vite. Il est assez doué. Il a non seulement installé un virus sur le réseau, simplement à l'aide d'un téléphone cellulaire, mais nous savons qu'il a volé des renseignements.

Parce que c'est possible d'infecter un réseau informatique avec un téléphone ? Notre ennemi est effectivement très talentueux et expérimenté.

— Quels renseignements ?

— Notre espion a dérobé des renseignements sur le programme top secret Total black-out de la Défense nationale, dit monsieur Frost.

Total black-out ? Ce n'est sûrement pas le nom d'un groupe rock créé par le SCRS. Tout le monde échange un regard interrogateur.

— Total black-out est un programme ultra secret, dérobé par des agents du SCRS à un pays politiquement instable dont je ne peux vous dévoiler le nom, explique monsieur Frost. Il a été établi que de tels renseignements étaient trop dangereux entre de mauvaises mains. Ce programme est dédié à la création d'une nouvelle arme, la bombe *Silence*. Ces renseignements sont stockés sur une puce, sur la construction d'une nouvelle génération de bombes IEM superpuissantes.

Des bombes IEM? Qu'est-ce que c'est que ça? Nouveau regard interrogateur entre nous, surtout les élèves, car je parie que Vincent et monsieur Marsolais sont déjà familiers avec cette technologie.

— Une bombe IEM est une bombe à impulsion électromagnétique, poursuit monsieur Frost. Ce genre d'engin est plus souvent connu sous son nom anglais EMP ou *electromagnetic pulse.* Une bombe de ce genre déclenche une émission d'ondes électromagnétiques brèves et de très forte amplitude qui peut détruire de nombreux appareils électriques et électroniques, mais également brouiller toutes les télécommunications. Les conséquences d'une telle impulsion sur une zone habitée, par exemple, pourraient être dévastatrices, surtout dans les pays développés. Il y a deux types de bombes : celle générant un champ magnétique, comme une bombe à hydrogène aussi appelée bombe H. La seconde, dont celle qui nous intéresse, est la HPM qui utilise un générateur de micro-ondes de haute puissance.

Oh… c'est effectivement du sérieux. On ne rigole pas du tout. C'est vraiment alarmant. Je vois sur le visage de mes compagnons qu'ils ne sont pas très rassurés. Même Vincent a une expression vaguement inquiète. Enfin, je crois, car il est toujours aussi difficile à lire. Monsieur Frost continue ses explications.

— Tout d'abord, une telle bombe désactiverait toutes les communications sur une grande distance, dit-il. Ensuite, non seulement le fonctionnement des appareils électriques et électroniques soumis à ce souffle électromagnétique est-il fortement altéré, mais certains signaux radioélectriques, comme ceux des radars, par exemple, peuvent être fortement perturbés. À un point tel que tous ces appareils sont tout simplement inutilisables. Ce qui fait que l'on ne peut plus utiliser les avions ou les sous-marins, par exemple. Ni les voitures. Nous perdrions également nos moyens d'alimentation électrique. Qui plus est, la durée de ces perturbations peut s'avérer très longue. Cela causerait une paralysie totale jusqu'à plusieurs mois.

Aïe… donc, plus de radios, de téléviseurs, d'ordinateurs, d'Internet, de tablettes et même de téléphones cellulaires pendant une éternité! Si une telle bombe devait tomber ici, les ravages seraient immenses! Le pays serait effectivement paralysé. Et ce, pendant des mois? Comment pourrions-nous communiquer, alors? Avec le télégramme ou les signaux de fumée? Et le transport? La plupart des moyens de transport possèdent des pièces électroniques et seraient donc inutilisables. On retourne aux chevaux et aux calèches? Quelle horreur, que ferions-nous, alors? On retourne à l'âge de pierre?

— Alors, il n'y aurait vraiment plus de moyens de communiquer? demande Marilou.

— Oui, et pire encore: plus d'électricité!

Quoi? Et on s'éclairerait avec quoi, des bougies et des lampes à huile? Comment on se nourrirait, sans four et sans réfrigérateur? Terrible de voir à quel point nous dépendons de la technologie et d'imaginer la façon dont notre vie serait chamboulée. Disons que tout à coup, le nom du programme, Total blackout, prend tout son sens. On est effectivement loin du groupe rock.

— Le pays serait sans défense et n'aurait plus de moyens de surveillance contre ses ennemis, ajoute monsieur Frost. Lors du souffle électromagnétique initial, les sous-marins et les avions soumis à l'impulsion seraient paralysés et pourraient s'écraser. Les personnes hospitalisées en soins intensifs et reliées à des appareils électromécaniques ou en chirurgie seraient en danger, car les appareils dont elles ont besoin pour vivre seraient inopérants. Bref, ce serait à peu près comme retourner au Moyen Âge pendant des mois.

Ouais, j'avoue que soudainement, mes scrupules à utiliser le cellulaire de Laurence pour tenter d'attraper notre espion s'envolent en fumée. Enfin presque. Même si je n'aime pas tellement cette méthode, je comprends que, dans de telles circonstances, c'est peut-être un moindre mal. Cet espion est très dangereux. Et dire qu'il se promène librement dans la nature, se fait chouchouter, coiffer et maquiller sous les projecteurs et les caméras, est adulé par les fans de la série, que je l'ai sûrement côtoyé et peut-être même effleuré. Grrr... ça m'enrage!

— Il n'y a aucun moyen de protection contre ce genre de bombes? demande Guillaume.

Monsieur Frost fait un geste de la main, comme s'il tentait de chasser des mouches.

— Il y a certaines formes de protection, comme la cage de Faraday, qui est une enceinte métallique étanche aux champs électriques, mais elles sont très rares et coûteuses. Et ça ne réglerait pas les problèmes d'alimentation en électricité.

Aussi bien dire que le pays est sans protection contre ce type d'engin et qu'on serait tous dans la merde jusqu'au cou si ça nous tombait dessus. Super.

— Mais il y a pire encore, ajoute notre directeur. Les bombes IEM peuvent aussi causer des dommages chez les humains, en perturbant les connexions neuronales et en provoquant une perte de conscience temporaire, ou même la mort dans certains cas.

Un silence lourd envahit le bureau. Ça commence à devenir réellement inquiétant. Et les renseignements pour construire une bombe pouvant provoquer tout ça viennent d'être dérobés? Encore une fois? Le pays à qui le SCRS l'a pris a-t-il remis la main dessus? Sinon, qui? Une organisation terroriste? De plus en plus affolant. Comment le SCRS et la Défense nationale n'ont-ils pas pu empêcher cela? C'est tout simplement incroyable! Je veux bien croire que notre espion est doué, mais je trouve cela renversant. Et maintenant, qu'allons-nous faire?

— Devons-nous toujours poursuivre notre enquête sur le plateau de tournage, monsieur Frost?

— Oui, Ariel. Plus que jamais. C'est maintenant une urgence nationale de mettre la main là-dessus. Le SCRS va d'ailleurs envoyer d'autres agents sur place, pour dénicher notre homme plus rapidement. Nous allons trouver un bon prétexte pour les envoyer là. C'est la priorité numéro un du SCRS à partir d'aujourd'hui.

— Mais le programme enregistreur de frappes installé sur l'ordinateur n'a-t-il pas donné de résultats? demande Guillaume.

— Malheureusement, notre espion ne l'a pas réutilisé, il a pris un autre appareil. Peut-être a-t-il découvert que ce dernier était sous surveillance.

Bon, il ne reste plus qu'à retourner sur le plateau de tournage et mettre la main au collet de notre espion, et ce, au plus vite!

***

Nouveau jour de tournage. Guillaume, Béatrice, Marilou et moi sommes bien décidés à trouver notre homme. Nous sommes plus motivés que jamais.

Aujourd'hui, nous tournons une scène dans laquelle Maïka parle avec Adrien et spécule sur l'auteur de lettres anonymes envoyées à Adrien, à l'attention de Maïka; les deux croient qu'il s'agirait du père de Maïka, disparu mystérieusement depuis dix ans. Normalement, ça promettrait d'être palpitant, mais nous sommes trop préoccupés par notre mission.

Monsieur Marsolais s'occupe encore de la lumière, Laurence tourne autour des figurants et des comédiens pour arranger une mèche par-ci, par-là. De son côté, Vincent, tout en installant une perche pour le son, continue de rigoler avec Alyssa Rondeau, pendant que Princesse Mulan lui tourne autour, sûrement à la recherche d'une autre gâterie. Décidément, Vincent paraît avoir plus d'affinités avec les animaux qu'avec les humains.

D'ailleurs, Alyssa est la seule personne avec qui je l'ai jamais vu sourire – si on exclut le numéro de théâtre qu'il a joué à Laurence, bien entendu – et elle semble même s'en être un peu amourachée. Dès qu'elle a une minute, elle vient lui tourner autour en se jouant dans les cheveux et en gloussant comme une écolière. Elle lui a même demandé de régler un problème avec son ordinateur pour l'attirer dans sa loge, où Vincent a passé beaucoup de temps. Renversant de voir que Vincent a réussi à séduire quelqu'un, vraiment. Et ils semblent réellement bien s'entendre, tous les deux.

En attendant, nous sommes plus concentrés que jamais sur notre objectif et tentons de repérer tout indice suspect, d'examiner chaque angle des acteurs lorsque nous les avons sous nos yeux. Quand nous le pouvons, nous nous concertons en secret pour examiner les environs des loges, pour trouver quelque chose. Marilou a même réussi à pénétrer dans l'une d'elles pendant presque un quart d'heure, y fouiner et prendre des photos, ce qui peut certainement servir. Elle affirme d'ailleurs avoir trouvé un coffre-fort caché sous le lit, lequel pourrait contenir le nécessaire pour un espion. Elle est vraiment une pro, Marilou.

Au moment où nous commençons à nous installer dans les faux corridors d'école pour le tournage, le fameux, le beau Jean-Philippe Langlois fait son entrée. D'accord, je dois avouer, pour une fois, qu'il est aussi séduisant et charismatique que son personnage. Toutes les têtes se tournent naturellement vers lui. Même mon beau Guillaume, qui a tendance à attirer le regard des autres, fait un peu pâle figure à côté.

On jurerait que Jean-Philippe se déplace au ralenti, tellement il a une démarche à la fois sensuelle et féline. Laurence peut bien tomber en pâmoison chaque fois qu'elle le voit. Corps mince et athlétique digne d'un personnage de calendrier sexy, cheveux châtains et ondulés brillant sous les projecteurs et yeux turquoise de mer qui hypnotisent.

Franchement, si j'étais recruteuse pour une organisation à la recherche d'espions, j'irais le chercher. Ce gars-là est tellement magnifique et attirant qu'il parviendrait à faire oublier à n'importe qui le fait qu'il est un agent. S'il en est un, en tout cas.

Jean-Philippe s'approche de l'endroit où il doit tourner la scène, sous les regards avides de la plupart des jeunes filles sur le plateau. Il repousse Princesse Mulan d'un coup de pied – il est probablement la seule personne qui puisse faire cela sans subir les foudres de Justine – et jette un dernier coup d'œil autour de lui, sans doute pour s'assurer qu'il est bien le centre de l'attention.

C'est alors qu'il s'arrête... à moi!

Il me sourit et s'approche. J'ai soudain l'impression que tous me regardent. Jean-Philippe s'arrête à trois centimètres de moi, s'appuie avec sa main sur les faux casiers où j'étais adossée pour les besoins de la scène. Je me sens tellement intimidée que, si je pouvais, je m'enfoncerais dans le décor pour me cacher.

— Tiens, salut, ma belle, me dit-il. Je ne t'avais jamais vue encore sur le plateau. Tu t'appelles comment?

Au même moment, j'entends Justine soupirer pas très loin, en levant les yeux au plafond.

— Et voilà, ça recommence, marmonne-t-elle entre ses dents.

— Heu... je m'appelle Ariel.

— Wouah... c'est un beau nom, ça. Ça sonne aussi joli que *caramel*.

— Heu... merci.

Je ne sais pas quoi dire et je suis paralysée. Je n'arrive pas à croire qu'une vedette, une vraie de vraie, se trouve à quelques centimètres de moi, me regarde, me parle et me touche presque! J'ai beau essayer de me dire que c'est peut-être un beau salaud et un espion qui possède des renseignements dangereux pouvant tous nous plonger dans une obscurité moyenâgeuse, j'ai du mal à y croire moi-même. J'essaie de garder la tête froide et ne pas me laisser impressionner. Pense aux exercices de respiration que Vincent t'a montrés, Ariel. Ne laisse pas voir tes émotions. J'essaie d'avoir une expression aussi neutre que possible.

— Et dans l'histoire, tu joues quoi? demande Jean-Philippe.

— Heu... je suis juste « la fille qui joue au DS »...

Je me sens rougir de la tête jusqu'aux racines des cheveux et j'ai vraiment l'impression d'être le centre d'attention de tout le monde sur le plateau. Comme si tout le monde s'attendait à ce que j'aie une réaction extraordinaire ou je ne sais trop quoi. Et avec ma peau transparente de rousse, disons que ça doit être frappant. Zut! Pour ce qui est de cacher mes sentiments, ça ne m'aide pas beaucoup.

Je vois que Laurence me fait un grand sourire en levant le pouce dans les airs, comme si je venais de marquer un but dans le filet adverse. Même si elle venait en partie pour voir Jean-Philippe et aimerait sûrement être à ma place, elle n'est pas jalouse du fait qu'il m'a remarquée, et non elle. On dirait qu'elle oublie que j'ai un petit copain.

Au même moment, une jeune figurante, à peine plus vieille que moi, éclate soudain en sanglots et quitte le plateau en courant. Mais que lui arrive-t-il?

— Bon, bien, on se voit tout à l'heure, Ariel, dit Jean-Philippe en s'éloignant comme si de rien n'était.

— Heu... d'a... d'accord.

Je jette un œil interrogatif à un autre figurant à mes côtés et qui semble incarner un autre élève.

— Qu'est-ce qu'elle a, l'autre fille ?

— Oh... c'est juste qu'il y a deux semaines, c'est elle qui était la nouvelle coqueluche de Jean-Philippe. Et là, elle vient de comprendre qu'elle a été déclassée.

— Déclassée ?

— Ben oui. Jean-Philippe est passé à côté d'elle en lui jetant à peine un regard, alors qu'ils sont sortis ensemble il n'y a pas si longtemps. Et là, il vient de te draguer et te complimenter devant tout le monde. Tu crois que c'est innocent ? *Félicitations, ma chère, tu es le nouveau centre d'attraction de Jean-Philippe.* De nombreuses filles tueraient pour être à ta place. Mais si j'étais toi, je ne me ferais pas trop d'idées. Celle qui va mettre le grappin de manière définitive sur Jean-Philippe Langlois n'est pas encore née, je crois bien.

Sur ces belles paroles, les techniciens annoncent le début du tournage de la scène. Tout le monde se met en place pour la séquence. Au même instant, Justine s'approche discrètement de moi.

— Fais bien attention à toi, jeune fille, chuchote-t-elle à mon oreille. Jean-Philippe a déjà brisé quelques cœurs. Si tu veux mon conseil, protège le tien.

— Mais je... je ne comprends pas. Et pourquoi moi ?

— Les gars sont mystérieux, ma chère, sourit Justine. Il vaut mieux ne pas chercher à comprendre.

Justine retourne à son poste où le metteur en scène l'attend pour achever les tests de son et de lumière.

Pourquoi me met-elle en garde de la sorte ? Est-ce par gentillesse pour me protéger ? Ou par jalousie, parce qu'elle ne supporte pas de ne pas être l'attraction de tous, y compris son collègue ? Je ne sais pas quoi penser de son avertissement.

Ark ! Dégoûtant. Je suis prise d'un frisson. Même s'il est superbe, Jean-Philippe est juste trop vieux. Et moi, j'aime Guillaume. Beuh. Au secours ! Que vais-je faire, maintenant ?

***

Quelques heures plus tard, je reçois un texto de la part de monsieur Marsolais. Il me demande de le rejoindre à midi dans un café, pas très loin des studios. Que veut-il ? Zut. En temps normal, Guillaume et moi prévoyons généralement des sorties à l'heure du dîner pour nous éloigner des lieux de tournage et passer du temps ensemble. C'est notre moment de détente rien qu'à nous, où l'on peut se permettre non seulement de se coller et de s'embrasser un peu, mais aussi de parler librement, tant de la mission que de nos examens à venir, ou même de choses plus banales. J'envoie un texto à Guillaume lui expliquant que je dois annuler nos plans.

À l'heure convenue, je me rends à l'endroit prévu. Monsieur Marsolais m'attend au fond du resto. Dès que je le rejoins, il m'emmène dans les cuisines, en arrière du comptoir. Devant mon expression surprise, il m'explique :

— Ce café appartient au SCRS. Aux yeux des gens ordinaires, c'est un commerce comme les autres qui sert les mêmes choses que dans tous les cafés. Mais tous les employés du SCRS ont accès aux cuisines et aux salles privées qui se trouvent en arrière. Cela peut servir pour des réunions, mais aussi de cachette en cas de pépin. Veux-tu quelque chose à boire ou à manger ?

— Heu... un sandwich et un jus feront l'affaire.

Le temps de passer la commande et nous nous retrouvons assis à une petite table dans une pièce minuscule, derrière les cuisines.

— Ariel, je t'ai demandé de venir me voir en privé ce midi car j'ai une nouvelle tâche pour toi. Et le SCRS veut que tu commences immédiatement. Je ne te cacherai pas que ce que je vais te dire n'est pas particulièrement facile.

Hum... après m'avoir demandé de contribuer à faire espionner ma meilleure amie pour obtenir des renseignements, il me dit qu'il aura encore quelque chose de difficile à me demander?

— Évidemment, ça n'a échappé à personne que tu as tapé dans l'œil de Jean-Philippe Langlois ce matin, commence-t-il. Je t'avoue que pour nous, c'est une occasion inespérée.

Oh oh... je ne suis pas certaine d'aimer la direction que prend cette conversation. Que va-t-il me demander exactement?

— Ariel, nous aimerions que tu profites du fait que Jean-Philippe ne se méfie pas de toi pour l'observer de plus près et resserrer ta surveillance.

Ah... rien de plus facile. La surveillance, ça me connaît. Laisser un micro dans sa loge en allant lui porter un café, par exemple, serait un jeu d'enfant.

— Vincent en fait déjà de même avec Alyssa pour la surveiller plus étroitement, mentionne monsieur Marsolais.

— Quoi? Que voulez-vous dire?

— Tu as dû remarquer que Vincent passait pas mal de temps avec la comédienne Alyssa Rondeau, non?

— Ah, ça oui, je crois que tout le monde a vu ça.

— C'est pour cette raison, tout simplement. Cela fait partie des mandats spécifiques que le SCRS lui a confiés.

Eh bien, ça, alors! Donc, cette relation qui s'est tissée entre Vincent et Alyssa n'est que pure manipulation? Vincent est vraiment meilleur acteur que je le croyais. Comment se fait-il qu'il ne soit pas allé à l'école de théâtre? Je suis prête à parier qu'il pourrait remporter un Oscar pour sa prestation, tellement ça semble naturel, son affaire. Même en connaissant sa vraie personnalité, je n'y ai vu que du feu. Ça paraissait tellement authentique.

Quand même, je me demande comment Vincent parvient à feindre aussi bien d'être amouraché de quelqu'un. Peut-être que je devrais le lui demander la prochaine fois que j'aurai des exercices à faire avec lui.

***

Après le souper chez mes parents, j'emmène Guillaume dans ma chambre et je lui annonce ma mission «spéciale», afin de lui demander conseil. Après tout, s'il y en a un qui sait charmer les gens, c'est bien Guillaume. Pourtant, il se montre plutôt inquiet à l'idée.

— Je n'aime vraiment pas ça, dit-il. Et s'il découvrait ta véritable identité? Ça pourrait être dangereux.

— Je ferai attention. Et puis, je sais me défendre. Tu as vu ce que j'ai fait à Béatrice, ça devrait te rassurer sur mes habiletés en combat, blagué-je.

Guillaume sourit.

— Je crois en tes capacités, Ariel. Malgré tout, je serai toujours inquiet pour toi. Que veux-tu, je n'y peux rien.

À mon tour de sourire. J'aime que Guillaume s'en fasse pour moi. Je m'approche de lui, l'enlace par la taille et enfonce mon visage dans son cou.

— Alors, aussi bien t'y habituer, mon cher Guillaume, car je n'ai pas l'intention de m'arrêter et je compte bien devenir une super agente sur le terrain, me battre avec des terroristes armés jusqu'aux dents et rescaper des personnes en danger à l'avenir. Tu devras vivre avec ça.

— Je n'aurai qu'à être agent sur le terrain aussi, comme ça, je pourrai te surveiller et te protéger, sourit-il.

— Ne t'en fais pas, je te garantis que tout ira bien, que je serai prudente et que je mettrai la main au col de notre homme. Promis, juré.

— Dans ce cas, notre espion n'a qu'à bien se tenir, dit Guillaume en rigolant.

***

Le lendemain matin, je me rends à la loge de Jean-Philippe. Il est temps de me mettre à la tâche. J'ai même apporté un espresso allongé pour lui, comme il les aime – merci au SCRS pour ce renseignement! Au moment où je m'approche de sa porte entrouverte, je vois qu'il est penché devant un petit coffre-fort. J'essaie de voir ce qu'il a dans ses mains, mais impossible. C'est alors qu'il s'aperçoit de ma présence. Aussitôt, il se dépêche de ranger son trésor dans le coffre et de le verrouiller illico. Hum… suspect, je me demande ce qu'il y cache.

— Tiens, bonjour ma belle Ariel! Comment vas-tu?

Wow… Jean-Philippe vient de m'appeler *ma belle Ariel* lorsque je me pointe à sa porte. J'avoue que, tout compte fait, ça me procure un tout petit velours de savoir que ce gars-là, entouré de femmes magnifiques, me trouve belle. Je dis bien un tout petit. Car je sais bien que pour lui, je ne suis qu'une fan de plus. De savoir que, de surcroît, il est peut-être un espion terroriste, ça ne le rend certainement pas plus sympathique.

— Heu… je vais bien. Je… je venais juste t'apporter un café et te souhaiter bonne chance pour ta prochaine scène.

— Merci, c'est gentil. Entre, viens t'asseoir un peu.

J'hésite. Je n'oublie pas que c'est peut-être un espion dangereux, aussi charmant soit-il. Je peux bien entrer dans sa loge, mais sans trop m'éloigner de la porte. Et je devrais en profiter pour jeter un œil rapide sur les lieux, sans oublier de filmer discrètement avec la caméra dans ma montre.

— D'accord, mais je peux rester à peine quelques minutes, je dois aller voir les maquilleuses dans un instant.

Jean-Philippe tapote la place sur le sofa, à côté de lui. Je décide de plutôt m'asseoir en face, dans le fauteuil. Je tente de lui sourire le plus naturellement possible.

— Tu veux quelque chose à boire ? propose Jean-Philippe. Mon réfrigérateur est plein.

— Heu... non, merci.

— Tu aimes ça, l'expérience sur le plateau de tournage ? demande-t-il en croisant les jambes, les bras allongés de chaque côté, sur le dossier du divan.

— Oui, c'est intéressant. Tout nouveau pour moi.

Je tente d'observer, tout en parlant, la composition de sa loge, et de filmer du même coup. Pas évident. En plus du sofa et du fauteuil se trouvent un lit, une coiffeuse munie d'un miroir pour se maquiller et se coiffer – on doit sûrement s'occuper de lui en privé ici et non pas avec les figurants –, un réfrigérateur, un bar, un téléviseur, une console de jeu, un ordinateur sur un bureau et son fameux coffre-fort. Mais ce qui attire mon attention, c'est une armoire vitrée verrouillée à l'intérieur dans laquelle sont exposées des armes de chasse. Hum... pas très discrete, son affaire, si c'est bien lui l'espion. Surtout que ce n'est pas à Montréal que l'on trouverait des cerfs, alors pourquoi avoir cela ?

— Si tu as besoin d'aide pour quoi que ce soit, n'hésite pas, dit Jean-Philippe.

— Je m'en souviendrai, merci. Hem... je dois y aller, on m'attend.

Je m'apprête à me lever, mais Jean-Philippe m'arrête en posant sa main sur mon genou. Je ressens un frisson de la tête aux pieds et retiens de justesse le réflexe de mon pied qui se préparait à partir et envoyer le bel acteur au pays des rêves d'un simple coup de talon.

— Tu fais quelque chose ce midi ? demande-t-il.

— J'ai... j'ai déjà quelque chose.

En fait, Guillaume et moi, on a encore un de nos dîners privés et je n'ai pas trop envie d'annuler encore. Jean-Philippe semble un peu déçu.

— Mais demain midi, je suis libre, avoué-je finalement.

— Alors, demain, je t'emmène au resto, ma belle. Ça fera changement de la bouffe d'ici, tu vas voir.

Ah quand même, on sera dans un lieu public. Ça ne peut pas être bien dangereux. Pense à James Bond et à ce qu'il ferait, Ariel. Il jouerait le jeu, lui. Ça me laisse vingt-quatre heures pour me préparer mentalement. Et, aller manger avec une vedette de la télé, ça ne peut pas être si désagréable que ça, n'est-ce pas?

Fais-le pour la mission, tu le peux!

***

Ce midi, c'est mon dîner gâterie. Guillaume et moi, nous nous permettons d'aller manger ensemble, à l'abri des regards. Enfin! Nous partons séparément et convenons d'un endroit discret par texto pour nous retrouver. Cette fois, il s'agit d'un petit café, sur Sainte-Catherine. Comme d'habitude, cela s'est passé à merveille et nous avons pu nous détendre de notre mission. Mais ça n'allait pas durer.

En effet, au moment où Guillaume et moi nous nous apprêtons à sortir pour retourner au studio, quelqu'un nous attend à la porte du café: Vincent Larochelle.

Et il semble vraiment furieux.

— Ce soir, vous êtes convoqués tous les deux aux bureaux du SCRS à 19 h. Ne soyez pas en retard.

Oh oh... on dirait qu'on a commis une bourde. Encore.

***

Le soir venu, Guillaume et moi arrivons – séparément, bien sûr – à la succursale du SCRS où nous avons été cachés après la vraisemblable attaque sur monsieur Marsolais. Vincent nous y attend de pied ferme.

— Vous aviez ordre de prétendre ne pas vous connaître, commence-t-il de but en blanc. Vous rencontrer pour dîner, comme vous l'avez fait, va totalement à l'encontre des consignes. Croyiez-vous que nous ne découvririons rien ? Je vous rappelle que nous vous observons, notamment avec les caméras de vos montres.

Quoi ? Ils se servent de nos caméras cachées pour garder un œil sur nous aussi ? Et moi qui croyais naïvement qu'elles ne servaient qu'à observer nos cibles. J'aurais dû y penser. Les gens du SCRS ne sont pas inconscients au point d'envoyer des recrues dans des missions, même peu dangereuses, sans s'assurer de leur sécurité en tout temps.

— Mais nous faisions cela à l'extérieur des studios, plaide Guillaume. Personne n'aurait pu nous voir, nous ne faisions rien de mal.

— Tout d'abord, votre directive était de feindre d'être des inconnus pendant la mission. Cela ne se limite pas aux studios, mais tout le temps que vous êtes en période de travail. Ensuite, je vous ferais remarquer que Jean-Philippe Langlois a suivi mademoiselle Laforce lors de sa sortie ce midi et qu'il aurait pu vous démasquer.

— Quoi? Il m'a suivie?

Je suis renversée. J'avais pourtant fait attention à ce que personne ne me voie quand j'ai quitté le plateau de tournage. Comment se fait-il que je ne l'aie pas vu?

— Par chance, il ne l'a fait que sur une courte distance, car il avait un rendez-vous ailleurs, ajoute Vincent. Vous avez été imprudente, mademoiselle Laforce. Une fois de plus. Et vous, monsieur Lévesque, vous semblez vraiment prendre plaisir à déroger aux règles. Vous l'avez fait dans les bureaux du SCSR au centre-ville et vos petites activités secrètes sur le plateau ne m'ont pas échappé. Vous êtes intrépide et exercez une influence néfaste sur mademoiselle Laforce, qui, franchement, n'en a pas besoin en ce moment. Je me vois forcé de recommander à monsieur Frost de retirer Guillaume Lévesque de la mission.

Guillaume et moi hurlons en même temps:

— Quoi!?!

— Vous n'avez pas le droit de faire ça! proteste Guillaume.

— J'ai tous les droits, rétorque Vincent.

— Pourquoi l'écarter lui et pas moi? C'est injuste!

— Étant donné le penchant de Jean-Philippe Langlois pour vous, mademoiselle Laforce, vous êtes trop précieuse pour ce travail. Mais c'est uniquement pour cette raison que vous restez.

— Je vais parler à monsieur Frost, rétorque Guillaume. Ça ne se passera pas comme ça.

— Allez-y, répond Vincent. Je doute que vous obteniez gain de cause.

Après avoir parlé à monsieur Frost, le soir même, la triste nouvelle est tombée et elle est sans appel. Comme d'habitude, le collège et le SCRS donnent entière latitude à Vincent, ainsi qu'à monsieur Marsolais, et lui font aveuglément confiance. Qu'a-t-il fait pour avoir autant de considération de leur part? Je reste dans la mission alors que Guillaume sera obligé de rester au collège. Il ne peut plus revenir, ni même s'approcher des studios. La mission est terminée pour lui. Au moins, il n'est pas renvoyé de l'école.

Mais je me sens démolie et révoltée. Décidément, Vincent-pas-de-cœur mérite son surnom plus que jamais. Je ne sais pas comment, mais je ne le laisserai pas gagner comme ça.

CHAPITRE 8
Poursuite d'enfer

J'ai passé une partie de la soirée à imaginer les pires scénarios de torture à exercer sur Vincent. Je ne décolère pas. Je me vois très bien le gifler, lui asséner des coups de cravache – particulièrement souffrants, paraît-il – et même lui arracher les ongles, tiens. Je le visualise ligoté à une chaise et en sang, me suppliant d'arrêter. Je me délecte de sa souffrance imaginaire. J'aimerais le faire souffrir autant que lui me fait souffrir. Je sais bien que nous ne sommes pas séparés longtemps, mais ça me fait mal de poursuivre sans Guillaume et de savoir qu'il est puni.

Mes parents ont bien vu que je n'étais pas dans mon état normal et ont tenté de me poser quelques questions. Bien entendu, même avec eux, je suis tenue au secret, ce qui est très difficile à vivre au quotidien. Tout ce que j'ai pu leur dire, c'est que nous avions des ennuis et que Guillaume avait été retiré de la mission. Je ne peux rien dévoiler d'autre. Ils n'ont pas trop insisté, ils ne connaissent que trop bien les règles du milieu.

J'ai songé à abandonner la mission moi aussi, mais quelque chose me retient. Je ne veux pas jeter l'éponge, je veux attraper le salopard qui a dérobé les plans de la bombe *Silence*. Après, j'aurai même la satisfaction de montrer à Vincent de quoi je suis capable, lui clouer le bec, pour une fois. Enfin, j'ai des ordres à suivre.

Je finis par m'endormir, les larmes aux yeux, mais l'esprit un peu en paix d'avoir visualisé quelques supplices jouissifs à infliger à Vincent pour me défouler.

***

Le lendemain, malgré ma peine et ma colère, j'ai accompli mon travail sur le plateau et je suis allée manger avec Jean-Philippe. En dépit de ce que j'anticipais, ce n'était pas si mal que ça. Jean-Philippe m'a parlé beaucoup de son enfance sur la ferme de ses parents dans les Laurentides, et de son village qu'il a quitté à quatorze ans pour étudier le théâtre à Montréal. J'avoue que je compatis un peu et que je comprends le déracinement qu'il a vécu pour étudier et avoir une carrière.

Jean-Philippe parle beaucoup, mais il est doué pour capter son auditoire. Il n'est pas acteur pour rien. Il a plein d'anecdotes savoureuses à raconter au sujet de ses tournages précédents, les lubies de certaines comédiennes, les exigences parfois étranges des réalisateurs, les négociations surréalistes entre les agents d'artistes et les agents de casting.

En revanche, rien d'extraordinaire qui me permette de déceler quoi que ce soit de suspect.

Mais Jean-Philippe est également un grand séducteur. Il est très chaleureux et amical. J'imagine très bien comment nombre de filles ont pu tomber sous son charme.

Si je n'avais pas de petit copain et si je ne le soupçonnais pas d'être un espion et même un terroriste, je me serais peut-être laissé séduire aussi. Mais – est-ce parce que l'on m'a entraînée à évaluer et à lire les émotions et expressions des gens ? – j'ai l'impression que tout est calculé, que ce n'est qu'une savante mise en scène. Peut-être est-ce aussi cela qui me donne un avantage sur ses conquêtes précédentes.

Du même coup, je me demande : s'il avait découvert que je travaille pour le SCRS – après tout, on ne sait pas quelles sont les ressources de notre homme – peut-être tout cela n'est-il qu'un prétexte pour me démasquer ? Et puis, souvenons-nous qu'il m'a suivie hier. Peut-être n'était-ce pas anodin ?

Nous devons retourner aux studios, car le tournage reprend dans peu de temps. Nous nous y rendons à pied.

— J'ai eu beaucoup de plaisir à passer du temps avec toi, me dit Jean-Philippe, une fois sur le plateau.

Et sans que j'aie le temps de répondre quoi que ce soit, il me serre fermement dans ses bras, me donne un baiser sur le dessus de la tête! Heu... bizarre.

Encore une fois, sans me laisser le temps de réagir, Jean-Philippe me salue et retourne dans les studios, comme si de rien n'était. Drôle de gars, vraiment.

***

À mon grand soulagement, je n'ai pas eu à revoir Jean-Philippe après le tournage de la scène suivante. Mon travail est terminé pour la semaine et, à la fin de ma journée, Jean-Philippe était pris par le travail encore plusieurs heures. Je lui ai donc simplement envoyé la main avant de partir. Ensuite, je suis allée rejoindre Marilou, Béatrice, Vincent et monsieur Marsolais. Nous retournons au collège dans une minifourgonnette. Guillaume s'y trouve déjà, il a pris la route ce matin.

Je me suis assise au fond du véhicule, pour être le plus loin possible de Vincent, que j'ai juste envie de griffer. Tout au long du voyage de retour, je n'ai pu m'empêcher de le fusiller du regard et d'imaginer des scénarios de vengeance.

Dire que je devrai le voir tous les jours et même pratiquer ma zénitude avec lui! En tout cas, si j'y parviens, je pourrai affirmer que rien n'est à mon épreuve.

Deux jours plus tard, surprise... un autre texto fait vibrer mon téléphone en plein cours de mathématique.

Code jaune.
Bureau de monsieur Frost à la sortie du cours.

Bon, ça fait changement des huit messages textes que Jean-Philippe m'a envoyés au cours des dernières quarante-huit heures où il me demande quand nous pourrons retourner au resto. Heureusement pour moi, la distance géographique me donne une bonne excuse pour repousser une sortie avec lui. Mais ça ne fonctionnera pas indéfiniment.

Dès que je suis libérée, je me rends à toute vitesse au bureau du directeur. Je sens que les choses commencent à bouger, voire à s'accélérer. Pour tout dire, j'en suis presque contente. Je pressens qu'on approche peut-être du moment où l'on va enfin mettre la main au collet de notre homme. Jusqu'à présent, Maxime et Jean-Philippe sont les seuls qui ont eu quelques comportements suspects, mais sans plus. Je suppose que des acteurs professionnels savent camoufler ce genre de choses.

J'ai un petit pincement au cœur en songeant que, cette fois, Guillaume ne sera pas à la réunion.

— Dès demain soir, vous aurez une nouvelle mission, tous les cinq, nous annonce monsieur Frost. Cette fois, nous ne nous contenterons pas d'observer les acteurs. Nous perdons trop de temps, il faut accélérer les choses. Votre nouvelle tâche sera d'infiltrer les loges des acteurs pendant la nuit et de fouiller les lieux. Grâce à monsieur Marsolais qui est parvenu à subtiliser le trousseau de clés du concierge, nous avons accès à toutes les salles du plateau de tournage. Vous allez vous mettre activement à la recherche d'indices ou de renseignements volés. Il est sans doute plus aisé pour notre « facteur » de camoufler des choses dans un tel lieu, plutôt que chez lui, où nous pourrions le retracer plus aisément. Vous retournez donc à Montréal demain soir. Nous vous appellerons lorsque ce sera l'heure.

La réunion est terminée, c'est déjà le temps de retourner en classe.

— Oh... et n'oubliez pas que votre évaluation finale arrive à grands pas, dans un mois exactement, ajoute monsieur Frost en souriant. Préparez-vous bien.

Ouais, c'est vrai qu'avec tout ça, nous avons toujours un examen de fin d'année qui nous attend. On va être drôlement occupés !

Dire que si j'étais encore dans mon ancienne école, je serais en train de préparer mon bal des finissants.

***

Le lendemain soir, vers 22 h, nous entrons discrètement dans les studios, alors que tout est endormi. Nous sommes séparés en deux groupes. Béatrice est avec monsieur Marsolais, tandis que Marilou et moi devons travailler avec Vincent. Ouf... je commence à avoir drôlement hâte que cette mission se termine, j'en ai vraiment marre de toujours être prise à travailler avec ce gars-là. Franchement, si je pouvais ne plus le revoir, ça me ferait le plus grand bien.

Vivement la fin d'année, que je puisse retourner chez mes parents durant l'été et prendre congé de Vincent-pas-de-cœur !

Après nous être assurés qu'il n'y avait personne sur place, monsieur Marsolais et Béatrice doivent fouiller la loge de Justine, Maxime et Ève-Marie tandis que Marilou, Vincent et moi héritons de celle de Jean-Philippe et Alyssa.

Nous commençons par celle d'Alyssa. En entrant, je fais presque le saut. Je savais qu'elle avait une très impressionnante collection de poupées de porcelaine, mais je ne soupçonnais pas ça. En plus des meubles habituels tels que sofa, téléviseur, ordinateur personnel, réfrigérateur et coiffeuse, sa loge contient des armoires littéralement remplies de dizaines et de dizaines de poupées aux chevelures presque naturelles, aux grands yeux bleus et aux robes colorées et extravagantes. Le tout, accompagné d'accessoires de toutes sortes : chariots anciens, petits chiens, chaises, chaussures, ombrelles, bicyclettes, brosses à cheveux, bibelots, etc.

Un vrai paradis pour petites filles ! En même temps, on jurerait que des dizaines de petits anges nous observent de leurs yeux ronds bleus de mer. Il n'y a pas à dire, Alyssa a encore un côté très *girly*, malgré ses vingt-cinq ans. C'est d'ailleurs un peu *freak* sur les bords. Sa loge est également décorée de rideaux en dentelle, ses sofas sont en velours rose, sa coiffeuse est recouverte de barrettes, de bijoux, des rubans de plumes et de petites boîtes ornées de paillettes et de pierres roses, rouges et mauves.

Des nombreuses photos de Brighton Beach, un quartier de Brooklyn, à New York, tapissent ses murs. D'après ce que j'en ai lu, c'est là qu'elle a étudié pour devenir actrice, grâce à une bourse d'un généreux donateur originaire de Moscou établi à Montréal. C'est également là qu'elle aurait été en contact avec une communauté importante de Juifs russophones.

Plusieurs déguisements pendent sur des cintres de sa garde-robe. Celui d'un vieil homme avec une canne blanche, une geisha en kimono, un sans-abri, une majorette. Cette fille a de drôle de compulsions, vraiment.

Nous commençons à fouiller minutieusement dans son bureau, sa coiffeuse et même son réfrigérateur – tout en prenant soin de replacer chaque objet à la perfection –, à la recherche de matériel informatique et électronique suspect ou même d'autres indices d'une double vie: faux passeports, armes cachées, etc. Rien.

Pas très étonnant, Alyssa a sûrement plus de points en commun avec Clémentine, la jeune sœur de Marilou qui a huit ans, qu'avec de véritables tueurs.

Nous nous dirigeons ensuite vers la loge de Jean-Philippe. Alors que nous nous apprêtons à franchir le seuil de sa porte, des coups de feu retentissent dans nos oreilles et des éclairs surgissent devant nos yeux! On nous tire dessus!

Marilou, Vincent et moi, nous nous précipitons par terre et nous nous mettons à l'abri. Les coups de feu proviennent de l'intérieur de la loge. C'est sûrement notre espion! Il était déjà sur place. Que faisait-il? Était-il encore en train de voler des renseignements?

En tout cas, si ce n'est pas Jean-Philippe, je me demande ce que notre agent fait dans sa loge. Et qui d'autre aurait accès aux armes qui y sont? Elles sont gardées sous clé, pourtant. Notre coupable commence à devenir plus évident, on dirait.

Marilou et moi, nous nous assoyons contre le mur à côté de la porte, pour nous protéger des balles. Vincent en fait de même de l'autre côté de l'ouverture. Il sort un pistolet, qui était caché dans sa veste. Il a le droit de se balader avec une arme comme ça? Bon, le moment est mal choisi pour avoir ce genre de considérations.

J'entends la voix de monsieur Marsolais dans la loge de Justine, qui crie et qui doit se demander ce qui se passe. Vincent lui hurle de ne pas approcher.

Les coups de feu cessent quelques secondes. C'est alors que Vincent en profite pour tirer à son tour. Il se remet à l'abri aussitôt. Notre espion tire encore quelques coups de feu, sans doute pour nous garder immobilisés.

Le silence suit les détonations qui ont résonné dans la nuit. C'est alors qu'un autre son étrange se fait entendre dans la fameuse loge. On dirait quelque chose qui grince, comme des pentures de porte. Pourtant, il n'y a pas d'autre porte. Vient ensuite un bruit sourd, comme si un objet en avait frappé un autre. Qu'est-ce qui se passe?

Au même instant, Vincent sursaute et bondit sur ses pieds comme s'il avait été frappé par la foudre!

— La fenêtre! crie-t-il. Il est sorti par la fenêtre!

C'était donc ça, le bruit que nous avons entendu.

Vincent jette un œil rapide à l'intérieur. Il fait encore noir, difficile de bien voir. Avec une témérité incroyable, Vincent parvient à glisser lentement sa main par la porte, effleurant le mur et... active l'interrupteur de la lumière !

Plus un chat.

Notre homme est bel et bien sorti par la fenêtre à battant, déverrouillée et encore entrouverte.

— Vite ! Il faut le suivre ! dit Vincent.

Il se précipite vers l'ouverture, regarde rapidement et constate qu'il n'y a aucun danger. Il se glisse par l'ouverture et nous ordonne de le suivre, ce que Marilou et moi faisons sans poser de question.

Nous atterrissons discrètement sur le sol. Nous devons rester vigilants, notre homme est peut-être encore sur les lieux, à nous surveiller et prêt à encore nous tirer dessus. Adossés tous les trois au mur extérieur, nous tentons d'observer le stationnement, à la recherche d'un signe suspect. Rien. Vincent avance prudemment, toujours adossé au mur pour protéger ses arrières. Marilou et moi le suivons. Nous passons prestement devant un recoin où se trouvent les conteneurs à poubelles.

Vincent passe en premier, suivi de Marilou et de moi. C'est alors qu'une lumière vive s'allume brusquement dans mon dos ! Des phares ! La voiture était cachée là, c'est pour ça que nous ne l'avions pas vue lorsque nous sommes arrivés !

— Attention, Ariel! hurle Marilou.

Un vrombissement se fait entendre. En me retournant pour faire face au véhicule, je suis aveuglée. Ce dernier me fonce alors dessus! Marilou se précipite sur moi et me jette à terre, quelques mètres plus loin.

La voiture nous frôle et tourne en faisant crisser ses pneus. Vincent tente de tirer dessus, sans succès.

— Vite! *Dépêchez-vous*! crie Vincent en courant vers notre auto.

Entre-temps, l'autre véhicule s'éloigne et défonce la barrière qui barrait la sortie du stationnement. Vincent prend la place du conducteur, pendant que je m'assois dans le siège du passager avant et Marilou, en arrière. Nous n'avons même pas attaché nos ceintures que Vincent a déjà démarré et part en trombe.

Rapidement, il rattrape l'autre voiture avec une facilité étonnante. Nous louvoyons dangereusement entre les voitures qui roulent sur la voie de desserte de l'autoroute où nous nous sommes engagés. On voit que Vincent est probablement un habitué des poursuites de ce genre. De mon côté, j'ai le cœur qui bat la chamade et je me cramponne à la poignée de ma portière. Comment tout ça va-t-il finir?

— Appelez monsieur Marsolais pour lui dire que nous sommes à la poursuite du «facteur», m'ordonne Vincent.

Comment fait-il pour demeurer aussi calme? On dirait qu'il est en train de magasiner une marque de céréales à l'épicerie!

— Allo, monsieur Marsolais? Nous sommes en train de suivre notre agent.

— Où êtes-vous?

— Nous sommes sur l'autoroute 15 en direction sud. Je crois que nous nous dirigeons vers le pont Champlain.

— D'accord, je vais joindre le SCRS pour qu'il vous suive à la trace. L'équipe n'aura qu'à retracer le signal GPS de ton téléphone et ce sera fait. J'envoie aussi une équipe de *backup* à l'instant, pour vous assister.

— D'accord, merci.

— Prenez le volant, me dit Vincent au moment où je coupe la ligne.

— Quoi? Mais je suis dans le siège passager!

— Ne vous en faites pas, ce n'est pas sorcier, rétorque-t-il en posant ma main gauche sur le volant.

J'essaie tant bien que mal de diriger la voiture, alors que nous roulons à plus de cent kilomètres à l'heure, mais ce n'est pas facile, dans cette position. Ce n'est pas du tout comme conduire dans des circonstances normales. Je manque de perdre le contrôle quelques fois, mais réussis tout juste à me rattraper.

Louvoyer de cette manière pour suivre notre cowboy du volant? Pratiquement impossible. La distance qui nous sépare finit par augmenter de plus en plus.

C'est alors que Vincent sort de nouveau son fusil. Que va-t-il faire? Il ne va tout de même pas tenter de le viser à cette vitesse? Avec d'autres véhicules autour?

— Vous allez essayer de lui tirer dessus? demande Marilou, inquiète.

— Ne vous en faites pas, répond Vincent, je l'ai déjà fait avant.

Il installe un viseur puissant sur son arme, question de pointer plus précisément, bien sûr. Il ouvre sa fenêtre et sort le haut de son corps. Prenant tout son temps, il vise les pneus, sans doute dans le but de lui faire perdre contrôle. Très dangereux, quand même. Une chance qu'à cette heure, il n'y a pas beaucoup de monde sur l'autoroute.

Soudain, un automobiliste nous frôle et m'oblige à donner un coup de volant, juste au moment où Vincent tire! Ce qui lui fait rater sa cible!

— Bon sang, qu'est-ce qui vous a pris? me crie-t-il, furieux. Et c'était ma dernière balle, en plus!

— Désolée, c'était pour nous éviter un accident!

Vincent grogne en refermant sa vitre. Alors qu'il range son arme en pestant, il me lance soudain un cri:

— Attention, à droite!

Un véhicule a décidé d'effectuer un dépassement illégal à droite et, comme j'ai du mal à garder notre voiture dans sa voie, il nous frôle et accroche notre miroir! Nous dérapons! Ahhh!!! La voiture continue de tourner, hors de contrôle! On va mourir! J'entends le klaxon des autres véhicules autour et le crissement de nos pneus, puis aperçois vaguement, dans ma panique, les phares des voitures qui passent comme des étoiles filantes devant mes yeux. Vincent s'empare du volant, parvient à nous redresser, et ce, sans même que l'on s'arrête! Il repart aussitôt à la poursuite de notre espion, qui a pris de la vitesse. Je ne suis pas certaine, mais je crois que nous avons fait un trois cent soixante degrés.

— Nous allons peut-être le perdre par votre faute, maintenant! me reproche Vincent. Vous ne savez vraiment pas réagir adéquatement sous pression. Vous ne devriez plus faire de missions de ce genre, vous n'êtes définitivement pas prête et devriez refaire vos devoirs, mademoiselle Laforce! Lorsque je vous donne un ordre, exécutez-le convenablement ou ne le faites pas.

Quoi, par ma faute? Chacune des phrases assassines de Vincent est comme un coup de couteau dans ma poitrine. S'il me demandait des choses moins difficiles, peut-être que j'y arriverais plus aisément. Il est vraiment trop exigeant, je ne connais pas beaucoup d'élèves de première année qui seraient parvenus à manœuvrer de la sorte. Comme d'habitude, aucune compréhension de sa part et aucune tolérance à l'échec.

Contre toute attente, notre homme, qui a pris de la distance, prend la sortie de L'Île-des-Sœurs. Nous le suivons de près. Mais nous passons un rond-point où nous perdons de la vitesse. À la sortie, l'agent en profite pour donner un grand coup d'accélérateur. Il s'éloigne encore !

Il tourne à droite, et semble entrer dans le stationnement extérieur d'un petit centre commercial. Nous le suivons. Mais lorsque nous y entrons, notre homme a disparu ! Aucune voiture à l'horizon.

Vincent roule lentement, à la recherche de notre homme. Nous sommes méfiants. S'est-il caché dans un coin ou nous a-t-il semés ?

Vincent immobilise le véhicule, perplexe et encore furieux. Nous regardons partout autour de nous, derrière les vitres de la voiture, à la recherche d'un indice.

— Vous croyez qu'il est parti ? demande Marilou.

Au même moment, je vois Vincent froncer des sourcils, puis sursauter sur son siège. Il regarde quelque chose par le pare-brise. Ses yeux sont écarquillés et son visage affiche une expression de terreur que je ne lui ai jamais vue auparavant.

— Sortez de l'auto ! Sauvez-vous ! hurle-t-il.

Sans hésiter, Marilou et moi détachons nos ceintures à toute vitesse et nous nous élançons aussi loin et aussi rapidement que possible de la voiture. J'entends alors un bruit curieux comme une détonation.

J'aperçois au même moment une silhouette sombre perchée sur le toit d'un petit bâtiment du centre commercial. Elle tient à l'horizontale un objet curieux, long, mince, pointé dans notre direction. Mais c'est… un lance-roquettes !

Quelques secondes plus tard, un éclair surgit de l'arme et un trait de feu zèbre l'air, pour se diriger en un clin d'œil sur notre voiture, qui explose dans une boule de feu et une pluie de débris ! Le souffle de l'explosion nous soulève du sol et nous projette des mètres plus loin. Nous atterrissons durement sur l'asphalte.

Mes oreilles se mettent à siffler et ma tête tourne. La dernière chose que je perçois est Vincent qui court vers nous, et la voiture, plus loin, dévorée par les flammes. C'est alors que tout devient noir.

CHAPITRE 9
Fausse piste

Après l'attaque au bazooka de notre «facteur», le SCRS s'est empressé d'envoyer ses fameux agents nettoyeurs sur les lieux, afin de faire disparaître toute trace de l'agression. À une vitesse étonnante, ils se sont pointés avec des camions et de l'équipement de nettoyage sophistiqué. Apparemment, ils sont déjà éparpillés un peu partout au pays, prêts à intervenir au plus vite et éviter l'attention inutile sur les missions secrètes. Une véritable équipe de camouflage.

Rapidement, ils sont parvenus à éteindre le feu qui embrasait la carcasse de la voiture et à ramasser tous les débris pour les emporter dans un camion. Après une heure ou deux, les lieux *étaient dégagés*, et l'on n'aurait jamais pu imaginer qu'une explosion y ait eu lieu. Évidemment, c'était sans compter que des gens, même en plein milieu de la nuit, allaient entendre l'explosion et appeler le 9-1-1.

Le service des relations publiques du SCRS a donc été mis à contribution. Après avoir parlé au gouvernement, il a réussi à faire croire que la

déflagration – que certains résidents de l'île ont entendue dans la nuit – était le résultat d'une fuite de
gaz, déjà colmatée. Le service a même convaincu,
je ne sais trop comment, l'équipe de pompiers dépêchée sur place de se taire et a bouclé le secteur pour
une période indéterminée, question d'empêcher les
curieux d'éventuellement se rendre sur place.

Une chance que le tout ne s'est pas déroulé en
plein jour et qu'il n'y ait pas eu de témoins. Bref,
l'affaire est déjà étouffée avec soin avant même
d'avoir vu le jour.

En attendant, Marilou, Vincent et moi avons été
transportés à l'hôpital, malgré les protestations de
Vincent qui voulait rester sur place pour travailler
avec les autres agents et assurait qu'il allait bien.
Mais monsieur Marsolais n'a rien voulu entendre et
lui a ordonné de se faire examiner par un médecin.

Sous la surveillance étroite du SCRS, qui s'assure
qu'aucun détail sur la véritable cause de notre visite
à l'hôpital ne soit dévoilé, nous sommes donc vus
par des docteurs. À part quelques blessures légères
à la suite de notre chute sur l'asphalte et le fait d'être
un peu secoués par l'explosion, tout va bien.

Quelques heures plus tard, j'ai entendu monsieur
Marsolais venir et entrer dans la salle d'observation
où Vincent se trouvait. Je n'ai pas tout saisi, mais je
crois que monsieur Marsolais a passé tout un savon

à Vincent, pour avoir mis ma vie ainsi que celle de Marilou en danger. Il semblait très mécontent. Lorsqu'il est sorti de la salle, les deux hommes étaient d'une humeur massacrante.

Le soir même, nous recevons notre congé. Marilou retourne avec les autres à la résidence spéciale du SCRS, là même où se trouvent les bureaux de leur succursale du centre-ville, alors que je vais dormir chez mes parents. Le lendemain, nous retournons au collège pour quelques jours.

***

Malgré le silence auquel sont tenus les médecins par le secret professionnel, le collège a dû avertir la mère de Marilou ainsi que mes parents de nos blessures, même si ce n'était pas grave. Sans dévoiler les causes exactes, bien sûr. Étant donné que nous sommes mineures, nos parents doivent être tenus au courant de certaines choses. La mère de Marilou, à qui l'on a raconté une histoire simple, n'a pas posé problème.

Contre toute attente, c'est ma mère qui en a posé. L'école, en effet, ne peut évidemment lui faire avaler des mensonges ou lui cacher la vérité si aisément. Ce serait bien mal la connaître. Surtout que je suis retournée à la maison et que mes parents ont remarqué bien vite mon état. Ils sont assez brillants pour deviner que c'est arrivé en mission. Pire encore, avec son travail, ma mère est équipée d'une vue aussi perçante que celle d'un faucon, doublée d'une capacité d'analyse digne d'un ordinateur de la NASA.

Elle a bien saisi, par l'emplacement et la configuration de mes blessures, que celles-ci avaient été causées par une explosion. Elle a aussi fait le lien avec la déflagration supposément causée par la fuite de gaz, dont les médias ont parlé. À ma grande surprise, elle, si calme d'habitude, s'est déplacée jusqu'à Ottawa et a piqué une crise d'hystérie dans le bureau de monsieur Frost. On aurait dit la mère de Laurence, qui a toujours été, disons... très, très expressive.

J'aurais cru que, en tant qu'espionne sur le terrain accomplissant elle-même des missions sûrement dangereuses, elle n'aurait pas été inquiète, mais il semble que quand il est question de sa fille, ses critères ne sont pas les mêmes.

En ce moment, je suis assise dans le couloir, à côté de la porte du bureau du directeur et j'entends ma mère s'époumoner littéralement à travers le battant.

— Ça n'a pas d'allure! crie-t-elle. Faire courir des risques pareils à des enfants! Je vais retirer ma fille du programme!

Quoi, me retirer de l'école? Elle exagère un peu, non? Après tout, elle fait bien ça, elle. À mon âge, elle a eu la même formation. Pourquoi panique-t-elle, soudainement?

Maman sort du bureau, une fois que monsieur Frost a réussi à la convaincre de me laisser terminer l'année scolaire et de réfléchir pendant le reste de l'été. Ouf... j'ai donc encore quelques mois pour la persuader de me laisser poursuivre ma formation. Je tente quand même de lui parler tout de suite et je la suis jusqu'à la sortie.

— Maman, s'il te plaît, laisse-moi rester au collège.

— Je ne sais pas, Ariel. Je... je n'aime pas tellement savoir que tu prends de tels risques.

— Tu en prends bien, toi.

— J'ai trente-neuf ans, pas seize, soupire-t-elle. Ce n'est pas la même chose, ma chérie.

— Pourquoi ça t'inquiète maintenant? Tu le savais bien, que c'est ce qui m'attendait lorsqu'on est venu me recruter.

— Oui, mais les vraies missions ne commencent généralement pas avant la fin de la formation et, surtout, elles sont rarement dangereuses.

Hum... une chance qu'elle ne sait pas que dans ma dernière mission, j'ai manipulé des bombes à antimatière et sauté d'un avion sans parachute.

Sinon, elle m'aurait renvoyée dans mon ancienne école illico, sans même me demander mon avis.

— Est-ce si grave que ce soit plus tôt que plus tard ?

— Nous en reparlerons, ma chérie. C'est juste que... enfin... maintenant que c'est concret, c'est différent.

— Maman, je VEUX rester dans cette école. Je veux devenir espionne comme toi et papa. Et tu devras t'habituer tôt ou tard à ce que moi aussi, je fasse un métier qui comporte des risques.

Rendue aux marches extérieures, ma mère s'arrête, soupire et se tourne vers moi.

— On verra, Ariel. Je t'aime, ma chérie.

Elle m'embrasse et part vers sa voiture. Espérons qu'elle changera d'idée avec le temps.

***

Dès le lendemain de la fusillade dans les studios, puis de la poursuite, Jean-Philippe a déclaré à la police que l'une de ses armes à feu avait été volée. Ouais... moi, je soupçonne surtout qu'il s'en est débarrassé après nous avoir tiré dessus, pour détruire des preuves.

Quelques jours plus tard, nous retournons sur les lieux du tournage. Aujourd'hui, nous devons commencer à tourner les scènes du bal de finissants de Maïka et ses amies, alors que le séduisant Adrien prévoit la demander en mariage. Si je n'avais pas l'esprit occupé en ce moment, je me délecterais de participer à cette séquence.

Depuis l'attaque fatidique, les mots incroyablement durs de Vincent à mon égard ne cessent de me marteler l'esprit. Son attitude envers moi depuis est encore plus froide. Il m'ignore totalement et je ne sais pas si je préfère cela à me faire crier dessus. On dirait que je l'ai déçu, alors qu'il n'y a pas si longtemps, il avait avoué que j'avais du potentiel. Peut-être est-ce à cause de cela que je l'ai désappointé ? Parce que je ne suis pas à la hauteur de ses attentes ? Est-ce vrai que je ne réagis pas adéquatement sous pression, que je ne suis pas prête pour des missions ?

Je suis installée dans une chaise pour me faire coiffer, mais je n'ai pas le cœur à travailler en ce moment. Suis-je à ma place ? J'aimerais tant parler à quelqu'un en ce moment, qui m'aiderait à y voir plus clair. Mais Laurence est avec une autre coiffeuse dans la loge de Jean-Philippe – eh oui, elle a enfin réussi à le rencontrer ! – et je ne pourrais pas lui dévoiler tous les détails de toute manière. Pour l'instant, à ma connaissance, aucune révélation croustillante sur des activités illicites n'a été enregistrée avec le téléphone de Laurence. Marilou tourne dans une

autre scène, Guillaume est au collège et Béatrice…
bien, elle est toujours aussi chiante!

— Oh là là, ça ne va pas fort, toi, ma pauvre
petite!

Je sors de ma bulle et me retourne vers la voix
qui m'a dit ça. C'est la comédienne Alyssa Rondeau,
vêtue d'une robe de chambre, une serviette enroulée
sur la tête, qui se tient debout à côté de moi.

— Est-ce Jean-Philippe qui t'a mise dans cet état?
demande-t-elle.

Pourquoi me pose-t-elle cette question? Sait-elle
quelque chose de louche à son propos? Qu'il nous
a fort probablement tiré dessus avec un fusil et un
bazooka il y a quelques jours?

— Jean-Philippe? répété-je, hébétée.

— Ben oui. Il a comme qui dirait la réputation de
mettre les filles pas mal à l'envers, si tu vois ce que je
veux dire. Et comme tout le monde ici sait déjà que
tu lui es tombée dans l'œil, je me demandais s'il avait
été correct avec toi.

Ah oui, bien sûr. Sa réputation de séducteur,
j'avais oublié. Alyssa s'assoit sur la chaise à ma droite.

— Comme il semble beaucoup apprécier la petite
coiffeuse stagiaire, poursuit-elle, je me demandais
s'il ne t'avait pas déjà laissé tomber.

Hein? Il aurait déjà l'œil sur Laurence? Alors qu'il
m'a embrassée il y a quelques jours à peine? Bon, un

baiser platonique sur la tête, mais quand même. Et qu'il me pressait par texto de le revoir? D'accord, on ne s'est pas beaucoup reparlé depuis – et je ne l'aime pas, au fond –, mais je suis un peu insultée qu'il soit déjà en train de regarder ailleurs. Question de principe, quoi.

Et je suis un peu déboussolée de voir comment tout le monde parle ouvertement de la vie amoureuse de Jean-Philippe jusqu'à la commenter. Il est vrai qu'avec les vedettes – et surtout quelqu'un comme lui – ce genre de chose est souvent public.

— Non, non, réponds-je. Ce n'est pas Jean-Philippe qui me met dans cet état.

— Alors, serait-ce le technicien qui vient du même collège que toi? demande-t-elle. Le beau Vincent?

Beau? Elle trouve Vincent beau? Comme Laurence? Eurk. Comment a-t-il réussi à lui faire croire ça? Il a mis une drogue spéciale dans son café ou quoi? Est-ce que ça fait partie de l'arsenal du parfait espion, ce genre de trucs? Ou alors, il est vraiment un manipulateur hors pair.

— Heu… bien. Oui, effectivement. Disons que les relations sont un peu difficiles entre lui et moi en ce moment. Quelques… conflits, si l'on veut.

Alyssa me scrute du regard, les yeux plissés. J'ai l'impression qu'elle est sceptique.

— Je peux te poser une question personnelle? demande-t-elle.

— Heu, oui.

— Est-ce que vous êtes déjà sortis ensemble, lui et toi?

Quoi?! Avec Vincent-pas-de-cœur? Horreur et dégoût absolus!

— Oh, mon Dieu, certainement pas! Jamais de la vie!

Au moment où je prononce spontanément ces paroles en faisant une moue écœurée, je me souviens qu'Alyssa, elle, aime beaucoup Vincent, et que je suis peut-être en train de l'insulter.

— Heu… c'est qu'il a cinq ans de plus que moi.

— Ah bon, alors je me suis trompée, répond Alyssa. Il est vrai que quand on a vingt-cinq ans comme moi, la différence d'âge dérange peut-être un peu moins. Et puis, j'ai toujours dit que le cœur ne connaît pas le nombre des années.

Pourquoi s'est-elle imaginé ça? Vincent lui a-t-il fait croire des choses? Dieu seul sait quel type de mensonges il lui a raconté lors de leurs nombreuses conversations sur le plateau. Voulait-il créer un sentiment de jalousie chez elle? Ou peut-être Alyssa croit-elle que, comme elle, toutes les filles tombent sous son charme? Hum… *Vincent* et *charme* sont deux mots vraiment incompatibles.

— Pourquoi me posez-vous la question ?

— Allons, tu peux me tutoyer, dit-elle. C'est quoi, ton nom ?

— Ariel.

Alyssa croise les jambes et sourit amicalement. Ouais, je dois dire que jusqu'à présent, elle semble la personne la plus normale et simple sur le plateau.

— Quand on est acteur, ça fait partie de notre métier d'étudier les sentiments des gens et leur expression, répond-elle. Et j'ai vu les regards que vous échangez parfois, toi et Vincent. J'en sais assez pour savoir qu'une telle intensité dans les yeux ne peut être causée que par deux émotions : la haine ou l'amour. Et vu qu'il m'est difficile d'imaginer qu'on puisse éprouver autre chose que de l'amour pour Vincent, c'est pour ça que je m'interrogeais.

Dans notre cas, c'est clairement de la haine profonde, de part et d'autre. Pas de doute.

— Si ça peut te rassurer, il n'y a absolument aucun amour entre lui et moi, et il n'y en aura jamais, lui dis-je.

— À voir ta réaction horrifiée de tout à l'heure, c'était assez évident, dit-elle en rigolant.

— Désolée, je ne voulais pas t'offenser. Mais il est très dur et sévère avec moi et, pour être honnête, nous nous entendons très mal depuis le début de l'année.

— Oui, j'ai remarqué qu'il paraissait très strict à ton égard. Et aussi envers les autres élèves. Pourtant, il est si doux et gentil avec moi.

Doux et *gentil*? Encore deux mots qui ne collent pas avec Vincent. Il a vraiment réussi à embobiner cette pauvre fille. J'avoue que je ressens un peu de pitié à son égard, surtout qu'elle est bien sympathique.

— Disons qu'à cause de lui et de choses qu'il m'a dites, je me pose beaucoup de questions sur mon avenir, avoué-je. Je ne suis pas certaine du tout d'être à ma place, d'avoir le talent qu'il faut pour réussir.

— Tu sais, Ariel, quand j'avais ton âge, moi non plus, je n'étais pas sûre de posséder ce qu'il fallait pour avoir une carrière comme je le désirais.

— Ah oui? Pourtant, tu es tellement bonne!

— Regarde-moi. Je suis toute petite et, contrairement à Justine ou à Ève-Marie, je ne suis pas particulièrement belle. Je n'avais pas tellement le physique de l'emploi pour obtenir des premiers rôles. Certains m'ont même suggéré d'abandonner. Mais j'ai travaillé très fort, j'ai persévéré et même si on ne me prédisait pas une brillante carrière, regarde où je suis en ce moment. J'ai un des rôles principaux dans une des séries les plus populaires de l'heure!

Inspirant. C'est exactement ce que j'avais besoin d'entendre. Des obstacles, j'en trouverai toujours sur ma route, quoi que je fasse. Mais je ne dois pas me laisser décourager par cela. Je dois persévérer, moi aussi.

— Et tu veux que je te fasse une confidence? poursuit-elle. Je suis un peu obsessive sur les bords, mais je me contrôle très bien. Ma seule vraie faiblesse, c'est que j'ai une phobie incontrôlable du nombre qui vient après deux.

— Le trois?

Alyssa sursaute et agrippe ses accoudoirs lorsque je prononce le mot. Son visage s'est crispé soudain comme si elle avait aperçu une grosse tarentule.

— Oh, désolée. Je n'ai vraiment pas réfléchi. Navrée.

— Ça va aller, je vais m'en remettre, dit-elle en reprenant son souffle. Bon, je te laisse, je dois aller me faire coiffer dans ma loge.

Drôle de phobie, quand même. Est-ce qu'Alyssa refuse de participer à des scènes ou à une prise qui comportent le chiffre trois, ou d'entrer dans une pièce qui porte ce numéro?

Au moment où Alyssa descend de sa chaise, Princesse Mulan arrive en courant et se met à mordre le bas de sa robe de chambre en grognant.

— Pfff... saleté de chien! s'exclame Alyssa en repoussant le Shih Tzu de son pied.

Princesse Mulan se sauve en jappant, sans demander son reste. Je parie qu'elle va encore rejoindre Vincent, qui passe son temps à la gaver de biscuits.

***

Deux jours plus tard, monsieur Marsolais et moi avons hérité d'une mission bien particulière du SCRS. Ceux-ci ont toujours l'idée d'agir de manière plus directe. Pour cela, je suis parvenue à obtenir un rendez-vous avec Jean-Philippe en privé, chez lui, pour le dîner. Pour m'aider à me donner des trucs pour percer dans le métier. Marilou vient avec moi, c'était une condition, et Jean-Philippe ne s'y est pas opposé. Pour les besoins de la cause, Marilou et moi avons développé une « nouvelle amitié » sur le plateau, afin de rendre la chose réaliste.

Pas question de m'envoyer seule chez un espion potentiel et dangereux. Et ce, même si monsieur Marsolais, stationné tout près, suivra notre entretien, grâce à la caméra de ma montre qui enregistre tout.

Je me demande ce qui peut motiver quelqu'un comme Jean-Philippe à faire de l'espionnage de la sorte. Si c'est bien lui, en tout cas. Agit-il pour l'appât du gain? Par idéologie politique? L'a-t-on forcé par extorsion? Quel secret peut-il bien cacher, sous cette apparence de comédien coureur de jupons?

Mon travail de ce soir : je dois verser une substance – on ne m'a pas dit laquelle – dans la nourriture de Jean-Philippe, qui servira à le neutraliser. Apparemment, l'effet est assez rapide. Ensuite, monsieur Marsolais me rejoindra pour passer à l'étape suivante du plan : interroger Jean-Philippe afin de déterminer s'il est bien notre agent. Je ne sais pas trop comment monsieur Marsolais compte lui tirer les vers du nez, mais comme je le connais, il a sûrement une méthode très précise en tête.

— Entrez, mesdemoiselles, dit Jean-Philippe en nous embrassant sur les joues.

Lorsque j'entre dans son appartement, je me retiens de frissonner. Dire que c'est peut-être un espion dangereux qui nous a tiré dessus avec un fusil, a essayé de m'écraser avec une automobile et, enfin, a fait exploser notre voiture et nous a presque pulvérisés du même coup. Car en m'aveuglant avec ses phares, il m'a certainement reconnue. Il savait à qui il avait affaire. Et maintenant, voilà qu'il m'accueille chaleureusement en me faisant des compliments. Un bel hypocrite, oui.

Je suis quand même impressionnée par son condo au look industriel et moderne, dans une ancienne usine rénovée et transformée en tour résidentielle. Se doute-t-il que je sais pour son véritable emploi ou pense-t-il que je suis là pour obtenir de bons tuyaux ?

Nous nous installons à table. Espérons qu'il n'a pas l'intention de nous piéger, lui aussi. Et s'il tentait de me droguer? J'ose à peine toucher à ma nourriture. Une chance que nous sommes deux et que monsieur Marsolais nous surveille.

Heureusement pour moi, Jean-Philippe consomme pas mal d'alcool et passe son temps à se lever pour aller chercher une autre bouteille ou des bouchées. Je parviens donc aisément à mettre la substance dans son verre. J'espère que ce sera rapide.

Après quelques minutes, Jean-Philippe commence à parler de plus en plus bizarrement, ses propos deviennent incohérents et, rapidement, il est clair que la substance, peu importe ce que c'est, est entrée en action. Jean-Philippe semble sous l'effet d'une drogue – et c'en est probablement une. Bientôt, il est à moitié endormi sur la table, la tête appuyée en partie dans son assiette de spaghetti, marmonne tout seul et ne nous prête même plus attention.

— Monsieur Marsolais, vous avez vu? dis-je dans le micro de ma montre. Je crois que ça y est.

À peine une minute plus tard, on frappe à la porte. C'est monsieur Marsolais. Je l'emmène dans la salle à manger où ronfle notre suspect.

— Aidez-moi, nous dit-il. Nous allons l'emmener au salon pour l'étendre sur le sofa pour qu'il soit plus confortable.

Pour ma part, je n'ai pas trop envie de me soucier de son confort et je le laisserais couché sur la table de bois où il pourrait bien s'écorcher la figure sur une écharde, tiens. Ce ne serait que justice, après tout ce qu'il a fait.

Monsieur Marsolais saisit Jean-Philippe sous les aisselles tandis que je prends ses jambes.

— Bonjour, petit ange, marmonne-t-il en me voyant. Vous avez de beaux cheveux, vous me rappelez quelqu'un.

Hem... sans commentaire. Nous le transportons sur le divan où nous le couchons sur le dos. Et maintenant, il est censé nous dévoiler ses secrets? Ou va-t-il continuer de délirer sur les anges?

— Que faisons-nous, monsieur Marsolais? Et c'est quoi, la substance que nous lui avons administrée?

— Du thiopental sodique. Ou si tu préfères, du penthotal.

Ça, alors! Je lui ai donné ça, moi? Je commence à mieux comprendre comment nous allons lui tirer les vers du nez.

Sur ce, monsieur Marsolais tire une chaise qu'il installe tout près de la tête de Jean-Philippe et s'y assoit. Il prend ensuite un appareil pour tout enregistrer et le pose sur la table à café. Il saisit le poignet de Jean-Philippe en regardant sa montre, pour contrôler son pouls et s'assurer que tout va bien, je présume. La compassion de monsieur Marsolais à l'égard de Jean-Philippe m'impressionne. Comme toujours, il est parfaitement neutre et calme. Je m'installe dans un fauteuil, tandis que Marilou se tient debout derrière moi. C'est la première fois que j'assiste à un véritable interrogatoire. Je suis curieuse.

— Est-ce vraiment fiable, les sérums de vérité?

— C'est efficace, jusqu'à un certain point. Pas à cent pour cent, bien sûr, et je ne te cacherai pas que devant un juge, ce serait sans doute inadmissible comme preuve. Mais dans le cas d'une enquête comme la nôtre, cela suffit. De plus, nous savons faire la part des choses. Une substance comme le penthotal est en fait un barbiturique qui induit l'anesthésie chez la personne. Il entraîne un ralentissement des mouvements et de la respiration et met en veille le système nerveux central. Ce faisant, il interfère avec la capacité de jugement et les fonctions cognitives. Le sujet répond spontanément, ne ment presque jamais et peut aller jusqu'à dévoiler des choses non avouées qu'il avait toujours réprimées. L'hypnose ou l'état de délire peut provoquer cela aussi. L'ennui, c'est qu'avec ce genre de drogue, les sujets mêlent parfois l'imaginaire à la réalité, d'où la nécessité d'être prudent et de bien interpréter les réponses.

— Je vois.

Monsieur Marsolais commence à poser des questions simples au départ : son prénom, son lieu de naissance, le nom de ses parents, etc. Jean-Philippe, somnolent, répond sans trop de problèmes. Le voir dans cet état est plutôt étrange et un brin dérangeant. J'ai beau me dire que c'est sans doute un espion dangereux, je suis un peu mal à l'aise de le voir, vulnérable, dévoiler ainsi des détails de sa vie privée. De temps en temps, il laisse échapper un éclat de rire ou fait un commentaire étonnant et un peu bizarre.

Il se met entre autres à déblatérer longuement, au fil des questions, sur une certaine Nancy Audet, sur qui il avait un œil en troisième année, s'extasiant en particulier sur ses tresses et ses lunettes à écailles de tortue.

— Pourquoi avez-vous fait venir Ariel Laforce chez vous ce soir ? interroge monsieur Marsolais.

— Mais parce qu'elle est mignonne comme tout, avec ses beaux cheveux et ses petites taches de rousseur, répond Jean-Philippe. Et elle est super gentille, elle m'apporte un excellent café.

Il est marrant, lui. Rapidement, les questions de monsieur Marsolais commencent à devenir plus sérieuses.

— Connaissez-vous les bombes IEM ? demande-t-il.

— Jamais entendu parler, répond Jean-Philippe.

Hum… ça augure mal.

— Avez-vous entendu parler du programme Total black-out ?

— Non.

— Et la bombe *Silence*, ça vous dit quelque chose ?

— Rien du tout.

Monsieur Marsolais, Marilou et moi, nous nous jetons un coup d'œil. Zut, on dirait que notre suspect numéro un était une fausse piste.

— Où étiez-vous, la nuit du 19 mai dernier ?

C'est le fameux soir où nous avons été attaqués par notre agent mystérieux.

— J'étais au restaurant avec mon agent.

De pire en pire. On dirait bien que nous allons devoir recommencer notre enquête.

— Que cachez-vous dans le coffre-fort de votre loge ?

— Mes tricots.

Monsieur Marsolais, Marilou et moi, nous nous regardons. Quoi ? Du tricot ? C'est surtout les filles qui pratiquent ce genre d'activité. C'est juste ça ?

— Vous faites du tricot et vous cachez cela dans un coffre-fort ? demande monsieur Marsolais, incrédule.

— Oui. Si ça se savait, on rirait de moi, c'est sûr. Alors, je me suis toujours caché pour le faire.

Bon, ce n'est pas horriblement embarrassant, mais un peu gênant quand même. On est dans sa vie privée, là. D'autant plus que nous avons fait cela pour rien, puisque Jean-Philippe semble bien innocent. En tout cas, nos hypothèses viennent de tomber à plat.

Après avoir demandé la combinaison du coffre-fort à Jean-Philippe – histoire d'aller en vérifier le contenu par lui-même, sans doute –, monsieur Marsolais déclare que nous n'avons plus rien à faire ici.

Il se penche alors vers Jean-Philippe et lui murmure quelques phrases à l'oreille, que je ne parviens pas à entendre.

— Venez, nous allons partir, dit-il.

— Et Jean-Philippe ? demande Marilou.

— Il reviendra tranquillement à son état normal dans peu de temps. La dose que nous lui avons donnée n'était pas très élevée.

— Mais il va se demander pourquoi nous ne sommes plus là quand il va revenir à ses sens, dis-je.

— Pas de problème, j'ai inventé une excuse. Étant donné son état, sa mémoire sera floue et, dans ces circonstances, il est assez facile de le manipuler un peu.

— Que lui avez-vous dit ?

— Qu'il avait un peu trop bu, qu'il avait été malade et que vous aviez dû partir après avoir pris soin de lui.

Monsieur Marsolais, Marilou et moi quittons les lieux, après nous être assurés que Jean-Philippe était confortablement installé sur son sofa et allait bien. Mais nous sommes déçus des résultats de notre enquête.

C'est un retour à la case départ, je crois bien.

CHAPITRE 10
Ça peut être pire ?

Mi-juin. Je viens de terminer mon examen de fin d'année, enfin ! Le plus drôle, c'est que ça n'a pas été si difficile que cela. Il m'a fallu me déguiser avec un costume fourni par le collège – qui était en fait celui d'une dame âgée –, traverser tout l'établissement en plein jour, au milieu des autres élèves, sans être reconnue – ce qui m'a obligée à modifier ma démarche et même ma voix, comme nous l'a montré monsieur Vézina –, forcer la serrure d'une des salles désignées dans l'école et désamorcer une fausse bombe.

À côté de mes véritables missions – faire des cascades sur l'autoroute et me faire tirer dessus avec des lance-roquettes – un test comme celui-là est presque facile !

J'ai réussi ma première année ! Je ne fais pas partie de ceux qui sont éliminés. Youpi !

Bon, les résultats finaux ne rentreront que dans quelques semaines, mais quand j'ai terminé la dernière épreuve de l'évaluation et que j'ai vu l'expression satisfaite de madame McDowell qui m'attendait, j'ai deviné tout de suite que c'était positif.

Maintenant, les vacances d'été commencent! Et je peux recommencer à faire du *longboard* autant que je veux.

Enfin, presque.

Même si nous avons terminé l'année scolaire, ceux qui participent à la mission sur le plateau de tournage continuent de travailler. Marilou retourne chez elle, mais elle devra revenir à Montréal régulièrement pour le travail. Ma plus grande peine est que Guillaume doit retourner dans sa famille, à Sherbrooke. Sa mère, en particulier, a insisté. Elle s'est beaucoup ennuyée selon Guillaume, elle aurait trouvé cette année très difficile, sans son fils adoré.

Nous allons être séparés pendant près de deux mois! Nous n'avons jamais passé plus que quelques jours l'un sans l'autre. Comment vais-je faire? Au moins nous avons prévu des déplacements entre Montréal et Sherbrooke, pour nous voir de temps en temps.

S'il faisait encore partie de la mission, il aurait une bonne excuse pour revenir à Montréal souvent. Tout ça à cause de Vincent. Grrr... je lui en veux encore, même après toutes ces semaines. Je crois que je ne lui pardonnerai jamais.

Au moins, lui, je ne le verrai pas de l'été, sauf sur le plateau. Tant mieux.

Laurence veille aux derniers préparatifs de son bal des finissants, où elle ira avec son beau Jeff. En plus, elle entre l'automne prochain dans son académie de coiffure. Elle est très excitée en ce moment et ne tient plus en place.

Entre-temps, Jean-Philippe, convaincu de ce que monsieur Marsolais lui a dit, s'est excusé d'avoir été malade, m'a remerciée d'avoir pris soin de lui et m'a assurée que ce genre de chose ne lui était jamais arrivé avant. Le pauvre, s'il savait vraiment ce que je lui ai fait. Je me sens encore mal par rapport à cela, même si monsieur Marsolais m'a dit de ne pas m'inquiéter. J'ai répondu à Jean-Philippe que ça n'était pas un problème. Depuis, il semble se terrer, pris de honte, peut-être, et ne m'a pas renvoyé d'invitation.

De mon côté, j'ai presque fini de préparer mes choses pour retourner chez moi. Maman semble s'être calmée un peu depuis l'incident du mois dernier, mais je devrai préparer mes arguments pour la convaincre de me laisser au collège, au cas où. Je sais qu'avec elle, je ne dois rien assumer. Elle a le don qu'ont les espions d'être imprévisible et de toujours surprendre.

Je fais un dernier tour des lieux avant mon départ, dans une heure, quand papa viendra me chercher. L'école va me manquer, même si je suis heureuse à l'idée de retourner chez moi, dans mes affaires. Je vais m'ennuyer de ses passages secrets, ses escaliers en bois, ses salles de tir, sa piscine intérieure et ses jardins luxuriants.

Alors que je me promène le long des berges de l'île, j'aperçois monsieur Marsolais, derrière les arbres, qui se promène lui aussi près de l'eau. Voilà une bonne occasion de le revoir avant de partir !

Mais alors que je m'approche, je remarque qu'il parle avec une personne dissimulée par un gros érable.

— J'espère que tu as bien appris la leçon et que tu ne prendras plus de risques inconsidérés, dit monsieur Marsolais. On t'a mis au courant de la réaction de la mère d'Ariel après l'explosion ? Nous avons bien failli perdre Ariel, Vincent. Elle et Marilou auraient pu y rester, et madame Denise Guérin-Laforce a grimpé dans les rideaux quand elle a su ce qui s'est passé.

— Je sais, monsieur Marsolais. Vous m'avez assez fait comprendre l'autre fois que c'était inacceptable.

Encore une conversation privée entre monsieur Marsolais et Vincent ! Décidément, c'est la deuxième fois que cela m'arrive. Je dois avoir un talent pour surprendre ce type d'échanges.

— Risquer ta propre vie est une chose, poursuit monsieur Marsolais, mais n'oublie pas que nous sommes responsables de la sécurité des élèves. Plus question d'actions aussi risquées, c'est compris ?

— Quelle idée, aussi, de confier cette mission à des élèves! Ils ne devraient pas être là, ils nous nuisent.

— Premièrement, nous avions besoin de jeunes figurants et, deuxièmement, ils n'auraient dû faire que de l'observation et quelques fouilles, pas des poursuites en voiture.

— D'accord, j'ai compris.

— Une dernière chose, Vincent. J'aimerais qu'à l'avenir, tu sois plus clément envers Ariel Laforce. Je remarque que tu es souvent plus sévère, presque injuste avec elle.

— Je suis sévère, mais pas injuste envers mademoiselle Laforce, je vous assure. Je tiens à ce qu'elle réussisse, c'est tout.

— Ariel est probablement l'une des recrues les plus douées depuis que tu as toi-même été élève chez nous, Vincent. Je suis d'accord qu'il ne faut pas la traiter avec indulgence et lui donner des défis, mais il faut qu'elle reste parmi nous jusqu'à la fin. C'est bien compris? Et cesse d'en faire une affaire personnelle, veux-tu?

— C'est le tuteur ou le supérieur qui parle? dit la voix de Vincent, irrité.

— Les deux.

— D'accord, je vous le promets. En passant, a-t-on découvert qui avait saboté l'examen de Laforce, Swann et Biron?

— Nous avons fini par découvrir qui c'était. C'était Debbie Thurman, elle sera expulsée sur-le-champ.

— Pourquoi a-t-elle fait cela ?

— C'est une des amies de Béatrice et je soupçonne que c'est elle qui est derrière tout cela. Elle entretient une rivalité avec mademoiselle Laforce, après tout.

— Si c'est le cas, il est probable qu'elle recommence, il faudra la surveiller.

Au même moment, les deux hommes se retournent et font demi-tour... dans ma direction ! Je me sauve discrètement vers le collège.

Étrange conversation. Alors, il n'y a pas que moi qui pense que Vincent s'acharne sur moi, monsieur Marsolais l'a remarqué aussi. Et je ne suis pas sûre qu'il s'agisse seulement de me donner des défis. Qu'est-ce que j'ai bien pu lui faire pour l'agacer à ce point ?

***

Quelques jours plus tard, monsieur Marsolais, Marilou, Béatrice et moi sommes de nouveau sur le plateau de tournage. L'intrigue de la série télévisée se corse, un incendie de forêt va dévaster le village de Maïka et nous aurons sans doute droit à des scènes palpitantes, remplies d'effets spéciaux. Cette fois, toute notre attention est concentrée sur Maxime, l'ancien petit génie qui passe son temps caché dans sa loge, à pitonner sur son ordinateur et à surfer sur Internet, comme dirait Justine. On ne le voit jamais sauf au moment de tourner une scène et nous savons que ces habiletés en informatique lui permettraient de pirater les systèmes du SCRS. Justine peut bien l'appeler monsieur le mystérieux.

En fait, son profil correspond tout à fait à celui d'un agent dormant – si on exclut sa carrière d'acteur, qui ressemble presque à une erreur de parcours ou à un job imposé par ses patrons. Discret, ordinaire, au-dessus de tout soupçon, il ferait un bon candidat. C'est sans doute pour cela que nous sommes passés à côté. Il est si peu remarquable qu'à côté de Jean-Philippe, toujours en quête d'attention, on oublie Maxime. Et c'est sûrement ce qu'il veut.

Nous avons encore prévu de revenir bientôt pour trouver des indices.

En attendant, nous poursuivons tout de même notre travail d'espionnage pendant les tournages. Alors que nous nous préparons pour la prochaine scène, un hurlement déchire l'air.

J'arrive la première à l'endroit d'où provient le cri, une salle où l'on prépare des accessoires pour le tournage. Une jeune fille – visiblement une figurante – s'époumone, les yeux exorbités, les mains plaquées sur les joues. Elle fixe du regard une forme poilue, blanche et brune, qui traîne sur le sol.

Qu'est-ce que c'est que ça? Elle est terrorisée par une vadrouille? Au même instant, Alyssa arrive.

— Qu'est-ce qui se passe? demande-t-elle.

— Je ne suis pas certaine.

Alyssa se tourne vers la figurante terrifiée et tente alors de la calmer, mais la pauvre, en état de choc, est incapable de prononcer la moindre parole cohérente.

Je m'approche de la masse gisant sur le sol. C'est alors que je reconnais… Princesse Mulan! Je me penche et commence à la tâter. Elle semble inconsciente. S'est-elle étouffée avec un morceau de gâteau ou un porte-clés? Ce serait bien le genre de ce chien abruti.

Je m'aperçois alors que sa tête a quelque chose de bizarre, comme si elle était de travers par rapport à son corps. Je suis horrifiée lorsque je découvre que le Shih Tzu a le cou tordu et que sa tête est carrément tournée vers l'arrière. Ce n'est certainement pas arrivé par accident, quelqu'un lui a délibérément cassé le cou! Je tente de prendre son pouls de mon mieux – pas facile, avec un animal! – mais je vois bien qu'il n'y a plus rien à faire pour cette pauvre bête.

D'accord, Princesse Mulan était plutôt agaçante, mais qui aurait pu faire une chose pareille à cet animal sans défense?

Je continue d'examiner le corps, même si je ne sais pas trop ce que je pourrais trouver. Je déniche alors une autre chose étonnante. Quelque chose dépasse de son collier orné de paillettes. Quelque chose de familier que je connais très bien. De petits fils électroniques sortent du bijou brisé. J'en sors alors... une caméra miniature, munie d'un microphone. Ça, alors! Quelqu'un a installé un système de surveillance sur Princesse Mulan!

Mais qui donc? Est-ce notre agent ou quelqu'un du SCRS? Il faut avouer que l'idée était brillante. Ce chien avait accès à tout le plateau, en tout temps et se promenait en toute liberté. Bien sûr, les prises de vue n'étaient sans doute pas excellentes et même un brin chaotiques – Princesse Mulan ne tenait pas beaucoup en place – mais la contrôler avec quelques gâteries n'était pas trop difficile.

Un attroupement a commencé à se former tout autour. Tout le monde est horrifié, même si nous détestions tous cet animal embêtant. Alors que je commence à examiner la caméra et le micro, j'aperçois Vincent du coin de l'œil. Il me fait un signe négatif de la tête. Je comprends qu'il ne veut pas que je dévoile ce que j'ai trouvé. Je tente de remettre le tout en place aussi vite et discrètement que je peux.

Tandis que je m'éloigne du corps pour me diriger vers Vincent, la pauvre Justine arrive. Quand elle voit son chien adoré gisant sur le sol, elle pousse un hurlement à réveiller les morts et tombe à genoux, en larmes. Tout le monde essaie de la consoler. Je m'éloigne en compagnie de Vincent. Nous atteignons enfin un coin reculé, caché dans un décor inutilisé, où nous serons tranquilles. J'interroge immédiatement Vincent pour connaître son opinion.

— Vous avez vu le micro dans le collier de Princesse Mulan?

— Oui… c'est moi qui l'ai installé.

— Quoi? Vous vous êtes servi du chien pour surveiller le plateau de tournage?

À bien y songer, ça a du sens. J'avais noté que Vincent passait son temps à gaver Princesse Mulan de biscuits et autres gâteries pour chien, et qu'elle passait son temps à lui tourner autour. Si quelqu'un est en mesure d'enseigner des trucs à un chien afin de l'utiliser, même si celui-ci est vaguement idiot, c'est bien Vincent. Cela dit, il demeure un très bon enseignant. Je parie qu'il saurait montrer à un rat à jouer du piano, si c'était possible. Ce qui ne répond pas à ma question.

— Mais qu'est-ce qui a bien pu se passer?

— Je peux me tromper, mais j'ai bien peur que notre « facteur » n'ait découvert qu'il était observé, dit Vincent. Je ne sais pas comment il a pu voir cela, mais on dirait bien que ça ne lui a pas plu. S'il se doutait que le SCRS avait un œil sur lui, il a maintenant une preuve concrète. Ça pourrait changer les choses.

— Pauvre chien, pauvre bête innocente.

— Oui, je n'aurais jamais cru que cela la mettrait en danger. C'est triste.

Oh... je peux me tromper, mais Vincent semble bel et bien désolé. Étant donné sa quasi-absence de sentiment apparent, peut-être est-ce mon imagination.

Le tournage est finalement suspendu pour une durée indéterminée. Justine n'est évidemment pas en état de faire quoi que ce soit. Ce chien était comme son bébé. Elle est très affectée. Je ne pensais pas dire ça de Princesse Mulan, mais je pense qu'elle va me manquer.

Quant à Maxime, il n'est même pas sorti de sa loge, malgré tout le brouhaha causé par la mort du chien de Justine. Étrange, tout de même...

***

Deux jours plus tard, en matinée, alors que je suis assise sur le bord de la piscine dans notre cour, à siroter un jus d'orange, un nouveau message de monsieur Frost arrive sur mon téléphone.

Code vert.
Succursale du SCRS au centre-ville de Montréal, ASAP[8].

---

8   As soon as possible. Ou en français : aussitôt que possible.

Code vert, c'est une urgence assez importante pour qu'on doive tout lâcher. Je suis sûre qu'il est arrivé quelque chose de grave. Mais quoi donc?

Une heure plus tard, après m'être dépêchée autant que possible et avoir pesté contre le métro qui n'allait pas assez vite à mon goût – mes parents, qui travaillent, ont pris les deux voitures –, j'arrive enfin.

Je me rends rapidement au douzième étage rejoindre mes collègues. Vincent, monsieur Marsolais, Marilou – qui a dormi dans les locaux, comme elle l'a fait depuis le début de la mission lorsque nous sommes à Montréal – et Béatrice y sont déjà. Je vois que monsieur Frost est sur Skype, sur un écran d'ordinateur.

— Bon, nous allons pouvoir commencer, annonce-t-il en me voyant.

Nous nous installons tous en face de l'écran pour écouter ce que monsieur Frost a à nous dire.

— Mauvaise nouvelle, annonce-t-il.

Vraiment? Personne ne s'attendait à en recevoir une bonne, je crois.

— Vous vous souvenez bien sûr du programme Total black-out concernant la fameuse bombe *Silence*?

Difficile d'oublier que les renseignements sur une bombe pouvant nous propulser au Moyen Âge sont à la portée de gens dangereux…

— Eh bien, il semblerait que le ministère de la Défense ait omis de nous dire que le programme était bien plus avancé qu'il ne l'avait laissé entendre. Ils avaient bel et bien réussi à fabriquer un tel engin, c'était plus qu'un simple projet.

Pourquoi ai-je l'impression d'étouffer, tout à coup ? Je sens que la situation va empirer soudainement.

— ... La bombe IEM que le ministère de la Défense avait volée au pays que je ne peux mentionner a été dérobée de nouveau hier, poursuit monsieur Frost.

Voilà, nous y sommes. Alors, c'est bien pire que l'on croyait. Non seulement un groupe dangereux, peut-être terroriste, détient-il des renseignements au potentiel dévastateur, mais en plus, il a le véritable objet fini entre les mains. Prêt à exploser et à anéantir presque toute technologie dans les environs. Super...

Les choses peuvent-elles être pires en ce moment ?

— Lors d'un vol, un des employés du ministère a été assassiné, ajoute monsieur Frost. Notre homme est donc recherché non seulement pour vol de renseignements et d'une arme secrète ultra-sophistiquée, mais également pour meurtre.

Il n'entend pas à rire et il est vraiment déterminé, en tout cas.

Je suppose qu'il n'y avait qu'un pas entre tuer un chien sans défense et assassiner un être humain. Pour lui, du moins.

— Quand le «facteur» a trouvé la caméra sur Princesse Mulan, il a dû saisir qu'il était observé et qu'il avait intérêt à agir vite s'il désirait atteindre son objectif final.

— Que faisons-nous, maintenant?

— Dès demain soir, dit monsieur Frost, vous retournez fouiller dans les loges des acteurs, et le lendemain dans leur maison lorsqu'ils seront au travail. Cette fois, nous devons absolument trouver notre espion!

***

Le lendemain, le tournage a repris, mais sans Justine, qui est encore en deuil. La production a ciblé quelques scènes dans lesquelles elle n'apparaît pas. Nous sommes donc tous sur place, à faire semblant de travailler, mais, en réalité, nous sommes en train de discrètement préparer le terrain pour ce soir. Comme d'habitude, Maxime est caché dans sa loge et Jean-Philippe est dans la salle de coiffure commune, car les lumières de sa loge ont mystérieusement cessé de fonctionner. Curieux, tout de même... Un prétexte pour aller voir Laurence, qui lui serait déjà tombée dans l'œil, paraît-il?

Depuis ma soirée «avortée» chez Jean-Philippe, il ne m'a presque pas parlé et il m'évite. J'aurais un peu envie de lui dévoiler la vérité et lui dire qu'en fait, il n'a pas trop bu, mais tout lui avouer serait bien pire. S'il apprenait que non seulement je l'ai drogué mais qu'en plus, il a révélé des renseignements plutôt gênants, je crois qu'il m'en voudrait à mort. Ou voudrait se cacher en Abitibi, peut-être.

Sur une autre note, bien que la mission ne soit pas encore terminée, je me sens comme si nous avions échoué. Je suis déprimée. Par chance, je dois aller dîner avec Laurence, cela me fera le plus grand bien. J'ai besoin d'être distraite, de parler de choses positives et même un peu superficielles pour me remonter le moral.

Je vais d'ailleurs en profiter pour lui rendre visite immédiatement, pour décider du resto en question. Je me rends dans la salle de coiffure. J'ouvre la porte et c'est alors que je tombe presque à la renverse !

Jean-Philippe et Laurence, enlacés, s'embrassent ! Laurence est en couple avec Jeff ! Quant à Jean-Philippe, même si je suis choquée de son comportement de coureurs de jupons, je ne suis aucunement surprise.

— Laurence !

Les deux se retournent vers moi, pétrifiés. Et pris sur le fait.

— Heu... ce n'est pas ce que tu penses, bafouille Jean-Philippe.

Pffff... la réplique classique. Quel sombre idiot.

— Laisse tomber, Jean-Philippe. De toute façon, il n'y aurait jamais rien eu entre toi et moi. Mais toi, Laurence, comment as-tu pu? Et Jeff?

Au même instant, les yeux de Laurence se remplissent de larmes.

— Jeff m'a laissée il y a quelques jours… répond-elle d'une petite voix.

Quoi? Oh non! Pauvre Laurence! Et dire que ça semblait l'amour fou entre eux. On dirait que Laurence m'a peut-être caché des choses elle aussi. Il est temps d'avoir une discussion avec elle.

***

J'ai emmené Laurence à l'extérieur pour discuter en privé dès que j'ai pu. Nous sommes assises toutes les deux sur le bord du trottoir, à siroter une boisson. Ce que j'ai fini par comprendre, c'est qu'à l'après-bal des finissants, Jeff voulait que lui et Laurence «passent à la prochaine étape», comme il disait.

— Je n'étais pas encore prête à coucher avec lui, tu comprends, m'explique-t-elle, en retenant ses sanglots avec peine. J'aurais voulu qu'il attende juste un peu. Mais il était super frustré. Il disait que je ne l'aimais pas vraiment, que sinon j'accepterais. Quelques jours plus tard, il m'a dit que c'était terminé entre nous.

Incroyable, quel crétin insensible! Pauvre Laurence. Dire qu'autrefois, j'aurais été mise au courant de cette situation immédiatement. Et voilà que je l'apprends presque par accident. Je suis triste de constater que Laurence et moi ne sommes plus aussi soudées qu'autrefois, et ce, en bonne partie par ma faute.

Je comprends un peu mieux pourquoi Laurence s'est laissé séduire par Jean-Philippe. Ça devait lui faire du bien, je suppose. Dire que je pensais parler de sujets légers avec elle. J'aimerais bien lui dire que dans la vie, il y a bien pire qu'un gars qui vous laisse parce que vous n'êtes pas prête à faire l'amour. Qu'en ce moment, plane sur nous la menace d'une bombe qui peut détruire toute technologie autour de nous et nous rendre totalement vulnérables à des attaques terroristes, par exemple, et même tuer des gens. Qu'un imbécile comme Jeff ne mérite pas ses larmes, de toute façon.

Mais je ne peux pas.

De toute façon, pour Laurence, en ce moment, c'est la fin du monde. Lui expliquer que les choses pourraient être pires ne l'aiderait en rien.

— Laurence, tu ne vas quand même pas te laisser séduire par Jean-Philippe à cause de ta rupture avec Jeff, hein?

— Non, non. Je sais bien que je peux être tête en l'air parfois, mais je ne suis pas si bête que ça.

— Crois-moi, Jean-Philippe n'en vaut pas la peine. Il n'a pas très bonne réputation, tu sais. Sois prudente, d'accord ?

— Tu es sortie avec lui, toi ?

— Oh mon Dieu, non ! Je te rappelle que je suis avec Guillaume !

— Ouais, chanceuse…

Que répondre à cela ? Je me contente de prendre Laurence dans mes bras pour la réconforter.

— Ça va aller, Laurence, je suis là.

Si seulement je pouvais l'aider. Mais même une future espionne ne peut pas tout contrôler et tout régler.

CHAPITRE 11
Des révélations renversantes

La même nuit, toute l'équipe habituelle est assignée à fouiller les loges des acteurs. Nous avions fait cela sommairement et discrètement la dernière fois, mais, cette fois, le SCRS nous a dit d'être plus rigoureux, et de ne pas hésiter à y aller en profondeur, quitte à déranger un peu les lieux. Il faut que les conditions soient drôlement dramatiques et sérieuses pour qu'on reçoive un ordre pareil.

Marilou, Béatrice et monsieur Marsolais ont déjà fouillé la loge de Maxime, notre nouveau suspect numéro un. Toujours rien, mais peut-être a-t-il tout dissimulé ailleurs ? En attendant, l'équipe profite du fait que Justine soit partie dans sa famille, à Deux-Montagnes – afin de vivre le deuil de son chien bien-aimé –, pour examiner son condo. Cela devait se faire ce soir, mais aussi bien prendre de l'avance. De notre côté, Vincent et moi fouillons les autres loges une seconde fois. Nous revoilà dans celle d'Alyssa avec ses nombreuses poupées.

Pas facile de se déplacer ici. Il y a des accessoires et des bibelots partout. Un éléphant dans un magasin de porcelaine ferait presque mieux. Alors que je tente d'examiner la bibliothèque d'Alyssa, j'accroche une des précieuses poupées, qui se fracasse sur le sol.

Et zut! Bravo pour la discrétion!

— Mademoiselle Laforce, bon sang! Faites attention! chuchote Vincent.

Je me penche pour voir si je ne pourrais pas réparer tout cela. C'est alors que j'aperçois quelque chose de curieux dans les débris. Des fils, une antenne. Mais... c'est un brouilleur d'ondes! Exactement comme celui que le « facteur » a utilisé lorsque nous avons tenté de l'identifier la première fois au marché By, à Ottawa.

Mais alors... noooon!!! Pas possible!

— Monsieur Larochelle, regardez ça!

Vincent inspecte ma découverte. Il est pétrifié, lui aussi. Notre agent pourrait-il vraiment être... Alyssa? La douce et la gentille Alyssa?

Aussitôt, Vincent saisit d'autres poupées et se met à les secouer. Dès que certaines d'entre elles font un bruit indiquant qu'elles ne sont pas vides, il les casse sans ménagement. Il pouvait bien me dire de faire attention... En quelques minutes, nous trouvons des lentilles de caméras, des munitions, des passeports d'Alyssa sous trois identités différentes, des microphones, des clés USB.

Nous sommes renversés. Notre espion sans scrupule, qui a tué un homme, a tenté de nous assassiner et serait prêt à utiliser une bombe dévastatrice, serait la charmante, discrète et apparemment innocente Alyssa ? Celle qui, selon toute vraisemblance, savait à peine utiliser un ordinateur ?

Elle qui est venue me réconforter et me consoler quelques jours après avoir tenté de m'écraser avec sa voiture et de nous pulvériser avec un lance-roquettes ? Elle qui semblait s'être naïvement amourachée de Vincent, qui lui jouait la comédie ? Et si la personne réellement manipulée avait été Vincent et non pas Alyssa, au bout du compte ?

En y repensant bien, ce n'est pas fou. Elle avait toutes les apparences de la gentille demoiselle, un brin candide et fifille sur les bords. Quel meilleur moyen de se disculper, en quelque sorte ?

Mais qu'est-ce qui aurait bien pu la motiver à faire tout cela ? Quels seraient ses motifs, son alibi ? Je ne comprends pas.

Au moment où ces pensées traversent mon esprit, des déflagrations retentissent à mes oreilles ! Encore des coups de feu ! Bon sang, mais notre espion a le don de nous tomber dessus au moment où l'on s'y attend le moins ! Notre espion ou devrais-je dire... notre espionne.

Je me jette à plat ventre sur le sol. Vincent en fait de même, sort immédiatement son fusil et tire à son tour dans la direction d'Alyssa.

— Rends-toi, Alyssa! crie Vincent. Il ne te sera fait aucun mal si tu ne résistes pas. Ne fais pas de bêtises.

Nous entendons vaguement un juron étouffé. Alyssa vient de comprendre que nous l'avons démasquée. Nous l'entendons alors courir dans la direction opposée. Elle s'enfuit!

Vincent et moi, nous nous lançons à sa poursuite. Nous la suivons d'une loge à l'autre, puis vers les studios. L'objectif est de la prendre vivante, alors, pour le moment, pas question pour Vincent de la blesser avec son arme.

Alyssa pénètre dans l'une des fausses maisons vides qui sera utilisée demain pour simuler l'incendie du village de Maïka. Vincent s'y précipite, mais me fait signe d'attendre. Je reste dans l'embrasure de la porte.

À l'intérieur, tout est vide, il n'y a que des poutres verticales qui soutiennent le plafond. La lumière des studios éclaire faiblement l'intérieur de la maison par les fentes des planches de bois placardant les fenêtres et on y voit plus ou moins bien. Quelques ampoules jettent une lumière blafarde dans la maison. Mais au moment où Vincent entre dans la fausse demeure, il reçoit un coup de tige de métal dans le dos! Alyssa était parvenue à se cacher et nous attendait! Il tombe sur le sol, étourdi, et laisse tomber son fusil, qui glisse plusieurs mètres plus loin!

Sans attendre, je me précipite sur l'arme, avant qu'Alyssa ne reprenne la sienne, qu'elle avait mise dans sa ceinture pour prendre la tige de métal. Au moment où je saisis le fusil et le pointe en direction d'Alyssa, elle fait la même chose! Nous sommes toutes les deux, face à face, à quelques mètres, l'arme braquée l'une sur l'autre. Vincent est accroupi par terre et nous regarde. Personne ne bouge.

— Ne fais pas de connerie, Ariel, dit Alyssa.

— On ne peut pas te laisser partir, Alyssa, lui dis-je. C'est trop dangereux.

Alyssa déglutit avec peine. J'ai l'impression que, un court instant, elle est ébranlée. Mais elle ne cesse pas de me viser.

— Navrée, mais je n'ai pas le choix, rétorque-t-elle. Et je ne peux vous laisser en travers de mon chemin. On peut la jouer dure ou pas. C'est ton choix.

— Pense aux conséquences, Alyssa. Tu m'avais l'air d'une si bonne personne. Viens avec nous, il est encore temps de t'amender, tu aurais une peine plus clémente.

Alyssa est prise d'un petit rire.

— Oui et après cela, ma vie serait finie. Maintenant, va chercher une des cordes là-bas et attache Vincent.

Pour qu'elle se sauve? Alors que je la tiens en joue? Elle est bonne!

— Non. Pas question.

Alyssa soupire.

— Tu n'as donc pas compris que je ne me laisserai jamais prendre, Ariel? Tu n'es qu'une débutante et tu n'es pas prête pour ce travail. Je ne voulais pas faire ça, mais si tu ne me laisses pas le choix. Désolée...

— NON!!!

Au même instant, Vincent se lance devant moi. Un coup de feu se fait entendre. J'ai à peine le temps de réaliser ce qui se passe que Vincent tombe sur moi et que je laisse tomber le fusil!

Elle a tenté de me tirer dessus et Vincent s'est interposé entre nous deux! Mon Dieu, est-ce qu'elle l'a blessé?

— On ne bouge plus, menace Alyssa. Maintenant, Ariel, va chercher cette fichue corde et attache Vincent après la poutre, juste là.

Je n'ai plus le choix, je dois obéir. À contrecœur, je lie les poignets de Vincent dans son dos, de manière à ce que ses bras entourent la poutre. Il ne peut donc pas s'échapper.

Alyssa m'examine, en se tenant à bonne distance.

— Serre bien ses liens, me dit-elle. N'essaie pas de m'avoir.

Zut, rien ne lui échappe. Je suis inquiète pour Vincent. Il reste calme et immobile, mais son t-shirt est taché de sang. Il est blessé, peut-être gravement.

— Maintenant, va t'asseoir dos à cette autre poutre, m'ordonne Alyssa.

J'obtempère sans résister. Ce n'est plus tellement le moment de jouer les héroïnes. Alyssa s'installe derrière moi, tire mes bras dans mon dos et entoure le poteau avec. Elle attache la corde drôlement serrée. Pas moyen de bouger.

Elle se met à fouiller dans mes vêtements, à la recherche d'une arme ou d'un gadget me permettant de m'évader. Elle ne trouve que mon cellulaire, ma lampe de poche et mon trousseau de clés, avec mon pendentif décoratif d'*Angry Bird* — et puisque c'est une pro, elle sait comme moi que malgré ce qu'on voit dans les films, couper des liens avec une clé est impossible. Elle les jette dédaigneusement par terre, pas très loin.

— Que vas-tu faire de nous, maintenant?

— Pas question qu'on me retrouve, dit Alyssa. Ça tombe bien, demain matin, cette maison doit être brûlée pour le tournage. Le temps qu'on découvre vos corps carbonisés à l'intérieur et je serai partie bien loin. Je trouverai bien le moyen de faire passer ça pour un accident. Après tout, ce n'est pas le premier qui a lieu sur ce tournage.

— Alors, c'est bien toi qui as fait tomber ce néon sur monsieur Marsolais! Comment as-tu su?

Elle hausse les épaules.

— Je te l'ai dit, Ariel, je suis entraînée pour reconnaître les sentiments des gens au premier coup d'œil. Maintenant, les agents, je les repère au premier regard. Tout d'abord, comme techniciens, Vincent et monsieur Marsolais étaient clairement des amateurs. En plus, ils passaient leur temps à fouiner partout, ils n'avaient pas le comportement de professionnels du milieu et étaient clairement suspects. Un jeu d'enfant de les démasquer. Et de faire semblant de me rapprocher de Vincent, en plus. Surtout qu'ils sont arrivés, comme par hasard, peu de temps après que j'aie commencé mes activités d'agente. Facile de faire le lien.

Je n'en reviens pas. Mais comment se fait-il que des espions professionnels parviennent à se faire berner de la sorte?

— Maintenant, ajoute Alyssa, je dois m'en aller. J'ai une livraison à faire, si vous voyez ce que je veux dire. Mais avant...

Elle prend une grosse roulette de papier collant, en déchire un morceau et me le colle sur la bouche, pour s'assurer que je ne pourrai pas alerter l'équipe de tournage quand viendra le temps de brûler la maison.

— Quant à lui, dit-elle en se tournant vers Vincent, c'est inutile. Dans une heure, il sera mort.

Je suis tétanisée. Comment une personne d'apparence si gentille peut-elle être si cruelle? Et moi qui pensais que Vincent n'avait pas de cœur. C'est un ange de bonté en comparaison de cette fille. Sans nous jeter un autre regard, elle quitte les lieux, en sachant qu'elle nous abandonne à une mort certaine et horrible.

Je jette un œil angoissé à Vincent. En temps normal, je me fierais à lui pour nous sortir de ce mauvais pas, mais cette fois, il ne semble pas en très bon état. Son t-shirt est couvert de sang, il est en sueur et il respire péniblement. Il semble vraiment souffrir. Mon Dieu, et dire que je souhaitais qu'il soit torturé et le voir sanguinolent à mes pieds. Plus jamais! Dans la vraie vie, ce n'est vraiment pas drôle.

Vincent se tourne vers moi.

— Je dois économiser mes forces, car Alyssa a raison, me dit-il en voyant mon regard apeuré. Le sang qui coule est plutôt noir, cela veut dire que le foie est probablement touché. Cela signifie que mon sang et sans doute ma bile sont en train de se répandre dans mon abdomen. J'en ai pour une heure, peut-être moins. En restant immobile et en entrant en état de méditation pour ralentir mon métabolisme, je retarderai peut-être cela un peu.

Je suis horrifiée. Et lui qui paraît si calme. Comment fait-il pour ne pas être anxieux ? Je dois me défaire de mes liens et nous sortir d'ici au plus vite ! Ce qu'il y a de bien dans le fait d'être une « simple » étudiante-espionne, c'est que les adultes ont parfois tendance à vous sous-estimer. Ce qu'Alyssa ignore, c'est que le pendentif *Angry Bird* de mon trousseau cache une lame qui me permettra de me libérer, dès que je pourrai mettre la main dessus. L'ennui, c'est qu'Alyssa l'a lancé à près d'un mètre.

Je me débats comme un diable dans l'eau bénite. Je dois absolument le récupérer ! Les liens sont très serrés et j'ai peine à bouger. Après plusieurs minutes qui paraissent une éternité, je parviens à me tourner vers la droite. J'essaie de tendre mon pied vers le trousseau, mais je ne parviens qu'à l'effleurer. Allez, Ariel !

Je continue de gigoter dans tous les sens. Je parviens à me tourner encore et à descendre plus bas sur mon poteau, afin d'étirer davantage ma jambe. Je réussis presque à m'allonger sur le sol. Il me semble que je perds un temps précieux.

J'arrive à mettre le pied sur le trousseau ! Je le tire vers moi. Pas évident, avec des chaussures. Je suis très mal placée. À la vitesse d'une tortue, je réussis à le rapprocher. Mais je dois me tourner encore, dans l'autre direction, cette fois, pour le saisir avec mes mains.

En me tortillant encore, j'arrive à prendre le trousseau. Je sors la petite lame du pendentif, le tourne dans mes doigts et, lentement, je commence à couper mes liens. Je dois y mettre plusieurs minutes. Enfin, je parviens à les desserrer, puis les couper !

Il me semble qu'une éternité s'est écoulée.

J'arrache le ruban adhésif de ma bouche. Aïe, ça tire ! Je me précipite sur Vincent. Je l'éclaire avec ma lampe de poche. Son teint est très pâle et son état inquiétant. Il est faible, en sueur et à la limite de l'inconscience. Il a sûrement perdu beaucoup de sang. Mon Dieu, pour combien de temps en a-t-il encore ? Je suis au bord de la panique.

— Vincent ? Vincent, tu m'entends ? C'est Ariel. Je vais te détacher, d'accord ?

En guise de réponse, il marmonne quelque chose que je ne parviens pas à saisir. Il paraît en état de délire. Je coupe ses cordes à toute vitesse. Je me jette aussitôt sur lui pour éviter qu'il ne tombe. J'attrape sa tête et j'étends Vincent sur le dos, avec délicatesse, comme on nous l'a montré dans nos cours de secourisme, en biologie. Cela facilitera l'irrigation de son cerveau.

— Vincent, tu tiens le coup ? J'appelle les secours. Reste avec moi, d'accord ?

— Ariel... c'est toi ? murmure-t-il.

— Ne bouge pas. Reste calme.

Facile à dire. Mon propre cœur bat à toute vitesse et j'ai les mains qui tremblent quand je tente de prendre mon téléphone, qu'Alyssa a jeté un peu plus loin. Faut croire qu'elle me pensait incapable de me libérer, sinon elle l'aurait emporté.

— Ariel... chuchote Vincent, je t'aime...

Je me fige, les doigts en l'air. Quoi ? Qu'est-ce qu'il a dit ? J'ai dû mal entendre...

— Je t'aime tellement, si tu savais... pardonne-moi...

Mon Dieu, pas d'erreur ! Il a bien dit qu'il m'aimait ? Vincent-pas-de-cœur ? Qui ne cesse de s'acharner sur moi depuis des mois ? De me rendre constamment la vie dure ? Impossible ! Et pourtant, ses paroles sont claires. Est-ce le délire qui lui fait dire ça ?

Non ! Pas le temps de penser à ça ! Sa vie est en danger, je dois faire vite. J'appelle monsieur Marsolais immédiatement.

— Monsieur Marsolais ? C'est Ariel ! Notre «facteur», c'est Alyssa ! Il faut la retrouver au plus vite ! Elle a tiré sur Vincent, il est blessé !

— Il est blessé ? Est-ce grave ?

— Oui, il saigne beaucoup. Il va très mal.

— Ariel, appelle tout de suite le 9-1-1, bon sang! Vous êtes aux studios? Je viens vous rejoindre immédiatement.

— D'accord.

Je raccroche et compose le 9-1-1 à toute vitesse.

— Oui, allo? J'ai un blessé grave avec moi, dépêchez-vous, je vous en prie.

Je me sens défaillir en parlant à la répartitrice. Mes yeux se remplissent de larmes et ma vue s'embrouille alors que je lui décris la situation. Je suis terrifiée. La perspective de la mort de Vincent, que j'avais tant souhaitée, me paraît insupportable.

La dame à l'autre bout de la ligne m'indique comment limiter les saignements en comprimant la plaie. Je suis tellement paniquée que j'ai oublié de faire cela. Allons, Ariel, calme-toi. Je respire à fond, selon les exercices que Vincent m'a montrés, pour contrôler mes émotions. Je me tranquillise un peu et suis les instructions.

Les ambulanciers arrivent au bout d'une dizaine de minutes, qui me paraissent une éternité. Lorsque j'entends les sirènes, je dois me résigner à abandonner Vincent afin de leur ouvrir la porte principale des studios, probablement verrouillée, et les guider jusqu'au blessé.

Vincent est maintenant inconscient, son pouls et sa respiration sont très rapides, ses extrémités sont froides et il a le teint livide. Dire qu'il a pris cette balle pour me protéger. Mais il ne peut pas mourir, hein ? Pas lui, il est trop fort pour ça.

En l'apercevant, les ambulanciers s'emparent de Vincent, l'allongent sur une civière. Ils exercent une pression sur sa plaie et lui mettent un masque à oxygène ainsi qu'une perfusion pour contrôler sa tension artérielle. Une couverture maintient sa température corporelle. Enfin, ils l'attachent solidement pour le garder stable et immobile. Au même instant, l'un d'eux s'approche de moi et me pose quelques questions. Je suis dans un tel état que je ne sais même plus ce que je réponds.

Au moment où les ambulanciers sont sur le point de sortir avec la civière, monsieur Marsolais arrive en trombe dans le stationnement. Il se précipite sur moi, suivi de près par Marilou et Béatrice.

— Ariel, tu vas bien ? Et Vincent ?

Lorsqu'il le voit sur la civière, monsieur Marsolais est sidéré. Vincent va-t-il s'en sortir ? Il paraît si mal en point. En silence, nous regardons les ambulanciers hisser Vincent dans le véhicule. Au moment où les portières vont se fermer, je ne peux plus me retenir. Je cours et grimpe sur le parechoc arrière. Je m'approche le plus possible de Vincent et pose une main sur lui.

— Vincent, il faut que tu tiennes bon, d'accord ? Ne meurs pas, s'il te plaît...

— Nous devons y aller, mademoiselle, le temps presse, me dit l'ambulancier.

Je redescends aussitôt et les laisse partir. Quand l'ambulance tourne le coin de la rue et que monsieur Marsolais pose sa main sur mon épaule, je ne parviens plus à retenir mes larmes, qui coulent maintenant sur mes joues.

***

En quelques instants, monsieur Marsolais a pris le relais des opérations avec un calme toujours aussi renversant. Marilou, Béatrice et moi sommes dans sa voiture, en direction de l'hôpital. Tout en conduisant, monsieur Marsolais demande au SCRS de retracer Alyssa Rondeau et d'envoyer une équipe d'agents nettoyeurs au plus vite aux studios, afin d'éliminer toutes les traces de l'incident.

L'incident... c'est comme ça qu'ils appellent le fait que l'un des leurs soit mourant ?

J'écoute à peine les paroles de monsieur Marsolais. Je pense à la déclaration incroyable de Vincent. Il m'aime ? Comment est-ce possible ? Est-ce seulement crédible, cette déclaration ? Je songe à ce que monsieur Marsolais m'avait dit lorsque nous interrogions Jean-Philippe au pentothal. Que dans un état de délire, on peut dévoiler des choses qu'on a toujours réprimées. Est-ce bien cela?

J'essaie de passer en revue ce qui s'est passé entre moi et Vincent au cours de la dernière année, afin de trouver un sens à tout ça. Évaluer le tout sous un jour nouveau. Suis-je passée à côté de cela tout ce temps?

Et si la dureté que Vincent m'a toujours témoignée n'avait été que pour cacher ses sentiments à mon égard? Être plus indulgent envers moi et m'accorder un traitement de faveur à cause de ses émotions auraient été complètement à l'encontre de ses convictions. Et s'il avait surcompensé en étant plus strict à mon égard? Au point que même monsieur Marsolais a senti qu'il devait intervenir...

Son désir de me renvoyer de l'école lorsque j'ai fait tomber Norm était-il dû à une autre motivation? Peut-être étais-je une source de distraction indésirable et qu'il voulait m'éloigner? Et lorsqu'il se plaignait que je n'aurais pas dû partir en mission pour retrouver l'antimatière, était-ce plutôt pour me protéger?

Je pense aussi à la sévérité avec laquelle Vincent a traité Guillaume, ces derniers temps. Ses soupirs agacés lorsqu'il nous voyait nous embrasser. Sa colère quand il a découvert que nous nous voyions en secret. L'expulsion de Guillaume de la mission à cause de cela. La vue de notre affection mutuelle lui était peut-être insupportable.

Est-ce pour tout cela qu'il m'a demandé pardon? Parce qu'il sentait qu'il allait mourir?

Et si Alyssa avait eu raison? Elle disait être entraînée pour reconnaître les sentiments des gens et leur expression. L'intensité de nos regards, comme elle disait. Dans mon cas, c'était de la haine, mais il en allait peut-être autrement pour Vincent? Et si elle avait vu juste?

Quant à la facilité de Vincent à reconnaître mon parfum, peut-être n'était-ce pas grâce à ses talents professionnels, mais en raison de son inclination pour moi?

Et quand il me reprochait d'avoir une chevelure extravagante et flamboyante qui attirait le regard, était-ce pour cacher le fait qu'en réalité, mes cheveux roux avaient attiré _son_ regard?

Bon sang, plus j'y pense, plus je commence à croire que c'est probable. Comment ai-je pu me rendre compte de rien? Être aussi aveugle? Toute l'année, je me suis demandé ce que j'avais pu faire pour l'irriter au point où il s'acharnait toujours sur moi. Et si c'était l'inverse?

Je n'ai plus le temps de songer à tout cela, car nous arrivons à l'hôpital.

CHAPITRE 12
Qu'arrivera-t-il?

Marilou, Béatrice, monsieur Marsolais et moi-même restons à l'hôpital plusieurs heures. Nous nous rongeons littéralement d'inquiétude, en attendant les nouvelles de la salle de chirurgie. Très soucieuse, Marilou a tenté de me poser quelques questions, mais mon cerveau est au ralenti et j'arrive à peine à lui répondre. Ce n'est pas l'endroit pour discuter de la mission. Après un bon moment, alors que le soleil commence tout juste à se lever, le docteur vient enfin nous voir.

— Comment va-t-il? demande monsieur Marsolais.

— Il va relativement bien pour l'instant et pourrait être tiré d'affaire. Son état est encore critique, mais stable. Nous allons le garder en observation un certain temps. Il faudra également surveiller que le tout cicatrisera adéquatement, car la blessure n'était pas nette et il y avait beaucoup de dégâts.

Ouf... c'est déjà ça. Je me sens un peu soulagée et je vois que Marilou l'est aussi. Vincent n'est apprécié de personne, mais on ne lui aurait jamais souhaité un sort aussi terrible.

Quelques minutes plus tard, après que Vincent a été amené en salle de réveil, mes parents, avertis par le SCRS – d'une partie de l'histoire, en tout cas – arrivent en courant. Ma mère se jette sur moi, en larmes.

— Ma chérie, tu vas bien ? me dit-elle.

— Mon Dieu, ton t-shirt ! s'écrie mon père. Qu'est-il arrivé ?

Je baisse les yeux et m'aperçois qu'il y a du sang coagulé sur le t-shirt. Je ne m'en étais même pas rendu compte, avec tout ce remue-ménage.

— Ce n'est rien, papa. C'est celui de monsieur Larochelle. Moi, je vais bien.

— Ma pauvre petite princesse, dit maman en m'étreignant de toutes ses forces.

Je crois que je n'ai jamais vu ma mère aussi angoissée. Je ne sais ce qu'on lui a raconté au juste, mais c'est suffisant pour la mettre en état d'affolement.

De mon côté, je suis complètement épuisée. J'ai vraiment besoin de me reposer. Je vois que les autres le sont également. Béatrice retournera chez elle, mais Marilou devra encore aller dans les locaux froids et ennuyeux du SCRS au centre-ville.

— Monsieur Marsolais, croyez-vous que Marilou pourrait dormir chez moi ? Je crois qu'elle y serait mieux installée.

Je sais que mes parents n'y verraient aucun inconvénient et que nous avons ce qu'il faut pour les invités.

— D'accord, pas de problème. Je vais prévenir le collège.

Nous quittons enfin l'hôpital et partons pour la maison. Même si le soleil est en train de se lever, nous allons nous préparer à nous coucher bientôt. Alors que mes parents préparent la chambre d'amis pour Marilou, qui grignote une tartine à la confiture en attendant, je vais prendre une douche.

J'ai besoin de me laver, me calmer et réfléchir. L'eau chaude me fait du bien et me détend. Lorsque je sors de la salle de bain, Laurence est là. Dès qu'elle me voit, elle me saute dessus.

— Mon Dieu, j'ai tout entendu aux nouvelles! s'écrie-t-elle. C'est horrible, ce qui est arrivé, je n'en reviens pas!

Qu'a-t-elle bien pu entendre? Monsieur Marsolais n'a pas pris le temps de m'expliquer ce que le service des relations publiques du SCRS a bien pu inventer comme histoire pour camoufler la vérité.

— Heu… mais qu'ont-ils dit?

— Ben, que la comédienne Alyssa Rondeau a cru qu'un technicien de qui elle était tombée amoureuse la trompait avec une figurante! Et qu'elle lui avait tiré dessus pour se venger! Mais c'est pas croyable, cette fille est cinglée! La police est à sa recherche, car elle a disparu. J'ai tout de suite su que c'était de ton Vincent Larochelle dont il était question, car elle n'arrêtait pas de lui tourner autour. Et quand j'ai parlé à tes parents tout à l'heure, ils m'ont dit que c'était bien toi qui étais impliquée là-dedans.

Ils auraient difficilement pu lui cacher ça de toute façon.

— Comment vas-tu? Et monsieur Larochelle?

— Moi, ça va. Monsieur Larochelle a été opéré, il sera peut-être remis bientôt.

— Ma pauvre Ariel, tu dois être traumatisée, dit Laurence en me serrant dans ses bras. Mais ne t'en fais pas, je suis là.

Laurence m'enlace alors de toutes ses forces, comme pour me protéger. Quand je pense qu'elle n'a aucune idée de ce qui se passe...

***

Je n'ai dormi que quelques heures. Rapidement, des agents du SCRS sont arrivés à la maison avec monsieur Marsolais – a-t-il seulement dormi depuis hier? – et m'ont tirée de mon sommeil, de même que Marilou. L'agent Victor Lacombe, qui m'a recrutée l'an dernier, est là. Ils nous font asseoir dans le salon.

En temps normal, mes parents ne devraient pas être informés de notre mission, mais monsieur Marsolais a obtenu la permission du SCRS de les mettre au courant. Leur participation et leur expérience, même en plein milieu de travail, peuvent nous être précieuses. Nous sommes chanceux de pouvoir les inclure là-dedans. Les autres élèves n'auraient pas pu en faire de même. Quant à monsieur Marsolais, il est agent du SCRS en plus d'être enseignant, alors il connaît mes parents.

— Nous savons que, dans quelques heures, madame Rondeau va effectuer, par avion, la livraison de la bombe IEM ainsi que des renseignements auprès de son organisation, que nous soupçonnons finalement être un groupe terroriste russe, explique Lacombe.

— Alors?

— Nous avons trouvé dans son ordinateur ses relevés bancaires indiquant que madame Rondeau a commandé des billets d'avion par Internet. Mais nous n'avons pas trouvé de copies des billets eux-mêmes. Cependant, nous ignorons la destination et le moment du vol. En revanche, un mandat international a déjà été lancé contre madame Rondeau, elle ne peut quitter le pays. Vous avez observé madame Rondeau pendant un certain temps, avez-vous une opinion sur la chose? Des hypothèses quant à sa destination?

Mon opinion? Marilou et moi, nous nous jetons un regard interloqué.

— Heu… je ne sais pas trop, répond Marilou.

Monsieur Lacombe nous tend un dossier rempli de photos.

— Voici les images que vous et vos collègues avez prises de la loge et de l'appartement de madame Rondeau. Les agents nettoyeurs en ont profité pour en prendre des nouvelles il y a quelques heures. Prenez le temps de les observer et d'établir si vous pouvez trouver des indices. En attendant, nous allons rendre visite à mademoiselle Thompson. Si vous découvrez quoi que ce soit, appelez-moi immédiatement.

Monsieur Lacombe quitte alors la maison précipitamment, suivi de monsieur Marsolais.

Marilou et moi étalons les photos sur la table à café et les observons, réfléchissant et examinant le tout. Pas facile de trouver quoi que ce soit dans le fouillis de la loge d'Alyssa.

— Alyssa ne peut sortir du Canada, à moins de se déguiser et de prendre une nouvelle identité, déclare-t-elle.

Marilou a raison. Avec le mandat contre elle, Alyssa ne peut aller bien loin. Par contre, elle avait plusieurs passeports, avec des identités différentes. Est-ce suffisant pour tromper les douaniers? À moins de se déguiser. Et si?

S'il y a une personne habile à entrer dans la peau d'un personnage, c'est bien une actrice professionnelle! Ce qui me fait penser qu'elle avait des déguisements dans sa loge... Elle les collectionnait. Et si ce n'était pas pour son emploi de comédienne?

Je cherche, parmi les photos, celles de sa garde-robe remplie de déguisements. Je compare celles que nous avons prises il y a quelques semaines avec celles prises cette nuit. Sur la tringle, un des cintres est vide. Il manque le costume du vieil homme avec la canne!

C'est sûrement comme cela qu'Alyssa compte tromper la sécurité! Je parie qu'elle avait un faux passeport d'homme âgé dans ses affaires.

— Avait-on pris des photos de ses faux passeports? demande Marilou.

— Oui, Vincent en avait pris.

Je ressens soudain un pincement au cœur en prononçant son nom. Lutte-t-il encore pour sa vie ou est-il tiré d'affaire, maintenant? Pas le temps de penser à ça. Marilou et moi cherchons toutes les deux.

— Les voilà, dit Marilou.

Après examen des clichés, nous trouvons effectivement un faux passeport avec l'identité d'un homme d'âge mûr. Un certain James Ford.

— On approche de la solution, dit Marilou. Mais cela ne nous dit pas où elle compte partir.

— Elle doit sortir du Canada au plus vite, c'est sûr, dit maman, qui n'était pas très loin. En général, un espion va tenter de franchir la frontière en moins de vingt-quatre heures dans une situation comme celle-ci.

— Et ça fait déjà près de douze heures qu'elle a disparu! dis-je, alarmée.

— Un agent ne choisit jamais une destination au hasard, ajoute papa. Alyssa avait un plan, c'est sûr.

— Peut-être pourrait-on regarder les prochains vols prévus à l'aéroport? propose Marilou. On ne sait jamais.

Mouais. On n'a rien à perdre, je suppose. Mes parents, Marilou et moi, nous nous installons devant l'ordinateur de mon père. Nous observons les vols à venir. Paris, Londres, Tokyo, Toronto... Mais aussi des destinations moins connues. Si j'étais Alyssa, où irais-je?

Je repense à son parcours. Elle avait reçu une bourse pour étudier aux États-Unis. Logiquement, Alyssa a également suivi un entraînement pour devenir agente. Elle aurait certainement pu étudier pour devenir actrice et espionne en même temps. Ce qui veut dire que l'organisation pour qui elle travaille a de bonnes chances de se trouver là où elle était partie étudier. Ce fameux endroit dont elle avait plein de photos. Brighton Beach!

— Papa, quel est l'aéroport le plus près de Brighton Beach ?

— Hum... Brighton Beach est à Brooklyn, alors ce serait J.F.K. International Airport. C'est à vingt minutes de distance à peine. Il y a en moyenne cinq départs par jour vers cette destination, mais aucun vol de nuit. Avec ses ressources, madame Rondeau aurait pu avoir un vol dès ce matin. Et il y en a un qui y va, en partance de l'aéroport Montréal-Trudeau dans une heure et demie. C'est l'un des premiers de la journée.

Nous nous regardons tous. Ce serait une chance inouïe que ce soit précisément celui-là. J'espère que la chance nous sourira.

— J'appelle monsieur Marsolais pour le prévenir de notre découverte, s'exclame papa en prenant son téléphone et ses clés de voiture.

— Et moi, le SCRS pour qu'il lance un mandat contre James Ford, dit maman en le suivant. Ariel, nous allons partir à l'aéroport tout de suite.

— Et nous ? demande Marilou.

— Vous restez ici, répond ma mère.

— Quoi ?!

Marilou et moi avons répondu en chœur.

— Il n'en est pas question ! C'est notre mission, maman !

— Ariel, c'est dangereux, dit papa.

— Vous avez pris assez de risques comme ça, ajoute maman.

— Mais je m'en fiche, dis-je.

Je sais que maman ne s'est toujours pas remise du fait que j'ai été attaquée à deux reprises, mais je dois la convaincre.

— Maman, je sais que tu as peur. Mais tu dois comprendre que je ne suis plus une petite fille. Je veux devenir une agente comme toi, ce qui suppose que moi aussi, je vais prendre des risques de temps à autre. Vous m'avez toujours protégée, toi et papa, mais maintenant que je vais devenir espionne, vous devrez accepter que je deviendrai autonome et vivrai des expériences difficiles seule. Je sais que ce que je fais. De plus, je...

Ma gorge se serre un moment, à cause de l'émotion.

— ... Je le dois à Vincent. Il a risqué sa vie pour me sauver et c'est à la fois mon enseignant et mon coéquipier. Entre agents, on se doit fidélité et assistance, non ? Alors, je dois faire ça pour lui. Je t'en prie, maman.

Il y a encore vingt-quatre heures, je n'aurais jamais cru prononcer de tels mots à propos de Vincent Larochelle. Ma mère, émue, me prend le visage à deux mains. Elle hésite encore.

— Et puis, ajoute Marilou, nous avons observé Alyssa Rondeau pendant des semaines, nous la connaissons mieux que quiconque. Vous ne pouvez pas vous passer de nous.

L'argument de Marilou achève de convaincre mes parents. Nous partons tous pour l'aéroport.

Une demi-heure plus tard, nous nous dirigeons vers les portes d'embarquement. Grâce à la position de mes parents au SCRS, nous parvenons à franchir les douanes sans le moindre problème. Messieurs Marsolais et Lacombe doivent nous rejoindre sous peu.

— Nous venons de recevoir la confirmation qu'un certain James Ford a enregistré des bagages pour le vol en partance de J.F.K. International Airport, dit papa, au téléphone. Mais l'embarquement est à peine commencé.

— Comment un engin de ce type aurait-il pu passer la sécurité ? demande Marilou.

— Un tel engin ne possède pas nécessairement d'explosifs, explique mon père. Parfois, que du matériel à micro-ondes. Il pourrait passer pour un simple appareil électronique.

— Le mandat international contre James Ford n'est pas encore prêt, ajoute maman, en ligne avec le SCRS elle aussi. Je ne sais pas si l'on pourra arrêter le vol à temps.

Comment faire ? Cet avion ne doit pas partir. Je réfléchis à toute vitesse. Et si la bonne vieille méthode allait nous tirer de l'impasse ?

En m'assurant que personne ne peut m'entendre et que mon cellulaire est branché sur le réseau du SCRS, j'appelle la compagnie aérienne. Je leur signale qu'une bombe a été posée dans un de leurs appareils et doit exploser bientôt. Aussitôt, je raccroche. Rien de plus facile qu'un appel anonyme pour arrêter un départ. La sécurité va s'en mêler en moins de quelques minutes.

En effet, quelques instants plus tard, on annonce un délai pour le vol prévu pour J.F.K. Ouf... cela va nous donner un peu de temps.

— Essayons de trouver madame Rondeau... ou James Ford, dit papa. Ariel, va avec ta mère, Marilou viendra avec moi.

Nous nous séparons en deux groupes. Alors que je cherche désespérément un homme âgé correspondant à l'image du faux passeport, un nouvel appel dans l'interphone annonce que le vol pour J.F.K. International Airport est retardé pour une période indéterminée et que les passagers déjà embarqués doivent descendre. L'effet de mon appel téléphonique, sûrement.

Au même instant, j'entends un juron étouffé près de moi. Je me tourne et vois un vieil homme, portant des lunettes fumées et avançant avec une canne blanche. Je reconnais alors le fameux vieillard du faux passeport ! Ça, alors ! Alyssa est allée jusqu'à prendre les traits d'un vieil aveugle. Qui aurait l'air plus inoffensif, après tout?

Au même instant, ce dernier me voit et me reconnaît! Il se lève, ôte ses lunettes, une expression hébétée sur le visage. Alyssa ne s'attendait clairement pas à me revoir en vie.

— Toi... murmure Alyssa. Décidément, petite, tu as le don de toujours te mettre en travers de mon chemin.

Avant que je puisse même réagir, elle sort un stylo de sa poche et me pointe avec. Heu... elle compte lancer de l'encre sur mes pantalons?

— Il n'y a qu'une balle dans ce truc, mais c'est suffisant pour me débarrasser de toi, dit-elle.

Évidemment, une arme cachée dans un stylo. Pourquoi n'ai-je pas fait le lien tout de suite? C'est comme cela qu'elle a dû le faire passer par la sécurité. Et je suis trop loin d'elle pour la désarmer.

— Je devais faire exploser l'IEM une fois l'appareil décollé, dit-elle, mais je pense qu'ici fera l'affaire.

Alyssa s'empare de sa canne et en ouvre la poignée. Un bouton se trouve à l'intérieur. La bombe est téléguidée. L'aurait-elle fait exploser dans la soute à bagages alors qu'elle était dans l'avion? Elle est assez kamikaze pour cela! Alyssa s'apprête à appuyer sur le détonateur. Comment puis-je l'arrêter? Qu'est-ce qui l'immobiliserait? Mais oui, bien sûr!

— TROIS!

À mon cri, Alyssa sursaute, se crispe et elle fige, comme si elle avait reçu un coup de massue. Elle tente d'appuyer de nouveau sur le bouton.

— Trois! Trois! Trois!

Alyssa se contracte de plus en plus, à mesure que je crie ce chiffre dont elle a si peur.

— Ça suffit! hurle-t-elle. Cette fois, je vais régler ton compte!

Elle me vise avec son arme-stylo. Au même instant, un autre coup de feu se fait entendre. Une balle a atteint Alyssa à la main et elle laisse tomber son arme. Elle tombe à genoux et se tord de douleur. Je me retourne. Ma mère tient Alyssa en joue. Le fusil qu'elle a sans doute sorti de sa poche fume encore. Maman avait une arme sur elle dans cet endroit? Je n'ai pas fini d'être surprise, on dirait.

— On ne touche pas à ma fille, dit-elle d'un air menaçant en pointant Alyssa.

Wow... ma mère a l'air si... heu... *badass*! Je ne savais pas qu'elle pouvait viser aussi bien, c'est un tir de précision. Aussitôt, des agents de sécurité s'emparent d'Alyssa et l'emmènent. Je me jette dans les bras de ma mère. Ouf... je n'arrive pas à croire que nous avons réussi!

***

Quelques jours plus tard, tout est rentré dans l'ordre. Marilou et moi prenons quelques jours de repos bien mérités chez mes parents, qui ont obtenu un congé eux aussi. Nous connaissons enfin toute la vérité sur notre fameux agent, Alyssa Rondeau.

Monsieur Marsolais est venu nous expliquer ce que le SCRS a découvert, à la suite d'une enquête et d'un interrogatoire serré. Il semblerait qu'Alyssa Rondeau, issue d'une famille alcoolique et dysfonctionnelle, aurait développé une dépendance à l'alcool alors qu'elle n'était qu'une adolescente. Après une soirée très arrosée d'un party du secondaire, elle a décidé de conduire malgré son état d'ébriété, a eu un accident, et la voiture est tombée dans un lac. Elle a été la seule à réussir à s'enfuir, ses passagers étant eux aussi dans un état d'ébriété avancé. Elle n'a jamais appelé la police.

Un agent d'origine russe, qui travaillait dans son village, en Abitibi, l'a trouvée sur les lieux de l'accident, désespérée. Sautant sur l'occasion, il lui a proposé un marché : il a maquillé son crime, éliminé des preuves et, en échange, a exigé qu'elle suive une cure de désintoxication et travaille pour son organisation. Son groupe a également payé sa bourse pour étudier l'art dramatique aux États-Unis, grâce au consulat russe, infiltré par des criminels.

L'organisation ayant recruté Alyssa était la Bratva, ou la mafia rouge. Son refuge principal aux États-Unis est situé à Brighton Beach, là où Alyssa a été formée et transformée en véritable espionne et en tueuse sans pitié. Une fois qu'elle a été prête et a terminé sa formation d'actrice, ils l'ont renvoyée à Montréal, avec pour consigne de se mettre « en veille » et de faire semblant de mener une vie normale. Jusqu'à il y a quelques mois.

Personne ne sait, par contre, quels étaient les motifs de la Bratva de faire exploser une bombe IEM au-dessus des États-Unis. Apparemment, la puissance d'un engin de ce type est plus intense lorsqu'il explose au-dessus du sol et fait davantage de ravages. Les services américains se seraient sûrement rendu compte qu'il s'agissait d'une bombe en provenance du Canada. De quoi jeter un froid entre les deux pays. Mais quant au motif exact de déstabiliser les relations canado-américaines... c'est le silence complet de la part d'Alyssa.

Wow... je me souviens maintenant de ce que madame McDowell nous avait dit dans son cours, il y a quelque temps : les espions le sont parfois devenus par la force ou l'extorsion, mais ils ne sont pas moins dangereux que les autres, car ils ont beaucoup à perdre et sont prêts à tout pour protéger leur secret. Elle avait raison.

Maintenant, Alyssa Rondeau sera traduite en justice et les chefs d'accusation sont graves. Elle en aura pour longtemps. Je ressens un peu de pitié à l'idée qu'au départ, elle était sans doute une bonne personne et qu'elle a été forcée par les circonstances. Mais en voyant ce qu'elle est devenue, je ne sais plus trop quoi penser.

L'avenir nous le dira peut-être.

ÉPILOGUE

Vincent est finalement hors de danger. Il sera en convalescence encore un moment, mais devrait retourner au collège et sûrement au travail dans peu de temps. Si ce n'est pas au collège dès septembre, je parie qu'il repartira en mission pour le SCRS dès qu'il sera sur pied.

En attendant, monsieur Marsolais m'a dit que Vincent a demandé à me voir. Évidemment, je ne peux dévoiler ce qu'il m'a dit et je n'ai pas tellement d'excuses pour refuser. Pourquoi veut-il me parler? La réponse m'effraie un peu.

Je ne sais pas quoi penser de sa révélation. Que dois-je faire, maintenant? Je le reverrai en plus en septembre prochain – maman a enfin consenti à me laisser retourner au collège. Comment vivre avec l'aveu de ses sentiments à mon égard? Et lui? Sera-t-il humilié quand il se souviendra de ce qu'il m'a dit?

J'obéis donc à la demande de Vincent et me rends à l'hôpital. Papa m'a prêté sa voiture pour m'y rendre. Tout au long du trajet, je n'ai cessé de m'interroger.

Je me rends dans la chambre où Vincent est hospitalisé. Je m'en approche, l'estomac noué, le cœur qui bat fort et les mains moites. J'appréhende la suite des choses.

Allez, Ariel. Tu as su combattre des terroristes et des espions, tu peux faire face à un gars qui t'a déclaré son amour en état de délire, non ?

Je prends une bonne respiration, me calme, comme Vincent me l'a montré, et entre dans la pièce. Je marche sur la pointe des pieds. J'aperçois Vincent étendu sur son lit, les yeux fermés. Autour de lui, toutes sortes d'appareils pour prendre ses signes vitaux clignotent, bipent, et il a un tube d'oxygène dans le nez.

Dort-il ? Je continue de m'approcher à pas feutrés. Peut-être pourrais-je partir en prétextant ne pas vouloir le déranger ?

— Mademoiselle Laforce… dit-il, sans même ouvrir les yeux.

Je fige. Encore une fois, ses sens bioniques ont fait leur travail. Il n'hésite même pas, il sait que c'est moi.

— Vous m'avez encore reconnue à mon parfum, je présume ? dis-je, ironique.

— On le sent toujours à des kilomètres à la ronde, vous savez, répond-il avec un ton de reproche.

Je me retiens de sourire. Maintenant que je sais la vérité sur ses sentiments, sa phrase prend un tout autre sens. Je parie que ce n'est que de la poudre aux yeux, ce reproche. Combien de fois m'a-t-il sentie venir, dans le collège, avec peut-être des papillons dans l'estomac?

Bon, allons tout de suite au point qui nous intéresse.

— Pourquoi vouliez-vous me voir?

Vincent ouvre les yeux et me regarde. Il semble plutôt fatigué, mais en forme.

— Je voulais savoir si vous alliez bien. Votre mésa-venture avec madame Rondeau a dû vous marquer et je désirais connaître votre état.

Wow... de la sollicitude? Une des rares fois où il ose en montrer.

— Oui, tout va bien. C'est vrai que ça a été un peu traumatisant, je vous avoue. Mais là, ça va mieux.

— Bien. Je vous avoue que je ne me souviens plus très bien de ce qui s'est passé après ma blessure. C'est un peu flou, car j'ai rapidement perdu connaissance de ce qui se passait. Je voulais donc savoir comment vous vous en étiez tirée.

Alors, peut-être ne se souvient-il de rien? Y compris sa déclaration? Étant donné son délire, pas très étonnant, au fond.

— Heu... bien, bien. Comme on vous l'a dit, j'ai réussi à me libérer, j'ai joint le 9-1-1 et nous avons arrêté Alyssa. Mais ça, c'est dans le rapport, comme vous savez.

— Bien. Et rien d'autre ?

Bon sang, on dirait vraiment qu'il ne se souvient de rien. Peut-être est-ce une chance, au fond ? Je tente de prendre mon air le plus neutre possible.

— Heu... non, non. Rien de notable.

— Tant mieux, alors. Nous nous reverrons en septembre.

— Oui, en septembre.

— Je ne vous retiens pas plus longtemps, vous devez vouloir profiter des vacances et de votre famille. Bonne journée.

— Heu... bonne journée.

Je me dirige vers la porte, puis je m'arrête.

— Monsieur Larochelle ?

— Oui ?

— Merci pour ce que vous avez fait. Vous m'avez sauvé la vie.

— C'est normal, c'est mon travail.

Le travail, évidemment. Peut-on s'attendre à une autre réponse de sa part ? Bien sûr que non. Je pars, soulagée, mais quand même troublée. Je suis donc la seule à me souvenir de ce qui s'est réellement dit cette nuit-là.

***

Après quelques jours de dilemme, je me suis décidée. Jusqu'à présent, je n'avais pas dit un seul mot à ce sujet à quiconque – et surtout pas à Guillaume –, mais je dois en parler à quelqu'un, pour y voir plus clair. J'ai expliqué brièvement à Laurence – afin qu'elle ne soit pas trop mélangée, la pauvre! – que le comportement de Vincent, lorsqu'elle l'a vu, était inhabituel et qu'au collège, il n'agissait pas comme cela du tout. En omettant bien sûr certains détails, j'ai expliqué à Laurence ce qui s'était passé lorsque Vincent a été blessé et ce qu'il m'a avoué. J'en ai profité pendant nos habituelles sorties du soir, où nous allons manger une glace au parc, près de chez moi.

— Qu'est-ce que je fais, maintenant? Je n'arrête pas de penser à ça, Laurence.

— C'est fou, ce gars-là t'a emmerdée toute l'année et tout ce temps-là, il t'aimait?

— On dirait. Et en plus, c'est mon enseignant. Tu imagines à quel point ce serait inapproprié?

— J'imagine, oui.

— Je n'arriverai jamais à le regarder en face sans penser à ça, Laurence. Je vais toujours être mal à l'aise avec lui, maintenant.

— Ariel, tu veux mon conseil? Oublie tout ça. Range ça bien loin dans ta mémoire. Ça ne ferait de bien à personne que la vérité se sache.

— Je ne devrais pas lui dire que je suis au courant? Par souci d'honnêteté?

— Es-tu folle ? Jamais de la vie ! Il sera humilié et n'oublie pas qu'en plus, il doit t'évaluer, te donner des notes. Ça doit déjà être dur pour lui d'être neutre à ton égard. S'il sait que tu sais, ça sera pire, crois-moi.

Laurence a raison. Il n'y a aucun avantage à révéler cette histoire et je dois reléguer cela aux oubliettes. Personne n'est au courant sauf moi et Laurence et c'est mieux ainsi.

Je suppose que ça aussi, ça fera partie de mes obligations en tant qu'espionne ? Reléguer certaines choses aux oubliettes ? Contrôler mes émotions, comme me l'a enseigné Vincent, et réprimer tout cela ? En tout cas, il me faudra mettre ça en pratique en septembre.

En attendant, c'est l'été et, enfin, je peux me reposer un peu. De plus, c'est mon anniversaire dans un mois. Enfin dix-sept ans ! J'ai encore plusieurs mois pour me préparer mentalement avant de revoir Vincent. Cet automne, je serai prête.

Alors que Laurence et moi quittons le parc, je reçois un texto. C'est Guillaume.

Salut, belle sirène !

Je passe la semaine prochaine à Montréal. J'ai hâte de te voir. Appelle-moi.

Oh oui ! Enfin, la mère de Guillaume a consenti à le laisser partir de chez lui ! Une semaine entière ensemble, ça va être génial ! Voilà qui va me changer les idées.

Je suis certaine que j'arriverai à trouver un moyen de passer par-dessus toute cette histoire avec Vincent. Au fond, après m'être fait tirer dessus avec un fusil et un lance-roquettes, presque écrasée et avoir maîtrisé une dangereuse espionne, ce ne sont pas les sentiments de Vincent qui devraient me faire peur, non? Dès mon retour au collège à l'automne, je parviendrai à maîtriser mes émotions, tout redeviendra normal et ira pour le mieux. Oui, je peux le faire.

Et après le collège, quand je serai une véritable espionne, le monde n'aura qu'à bien se tenir. Je serai prête.

À VENIR DANS LE PROCHAIN TOME :

Septembre. Me voilà de retour à l'École nationale des espions et, déjà, une nouvelle mission m'est confiée, avec d'autres étudiants : retrouver un satellite américain dérobé dans l'espace par les Nord-Coréens. Il serait sans doute caché dans l'arrière-boutique d'un magasin d'appareils électroniques.

En plus de commencer nos cours de deuxième année, nous devons infiltrer le réseau de terroristes en nous faisant embaucher par le magasin. Me voilà donc contrainte à vendre des haut-parleurs et des imprimantes en attendant de dénicher ce satellite d'une valeur inestimable.

De son côté, Laurence a un nouveau copain et étudie la coiffure, ce qui lui prend tout son temps. Parlant de copain, je commence à être déchirée entre l'attitude de plus en plus agaçante de Guillaume et la révélation embarrassante de Vincent.

Pas facile, la vie d'apprentie espionne !

MARQUIS

Québec, Canada

Achevé d'imprimer le 30 janvier 2014

Imprimé sur du papier Enviro 100% postconsommation
traité sans chlore, accrédité ÉcoLogo et fait à partir de biogaz.